# K-시티 용산의
## 미래를 만들어갑시다

# K-시티 용산의
## 미래를 만들어갑시다

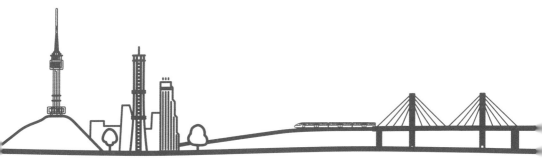

노식래 지음

미래는
예측하는 것이
아닙니다!

미래는
상상하고
만들어가는
것입니다!

# 그는 자신의 역량을 키워 세상을 이롭게 한다

최재성, 전 국회의원·전 청와대 정무수석

추천의 글에 앞서 노식래 서울시의원과의 개인적 인연을 소개해 드려야 하지 않을까 싶다. 노식래 의원과 나는 약 15년 전 여의도의 목욕탕에서 처음 통성명을 했다. 당시 노 의원은 민주당과 열린우리당의 당직자로 활동 중이었고 저는 갓 국회에 입성한 초선의원이었다. 노 의원은 당사에서 밤을 새우고 저는 의원회관에서 밤을 새우고 출근을 위해 여의도의 한 목욕탕으로 가곤 할 때이다. 당사에서 몇 번 얼굴을 본 사이여서 눈인사만 나누다가 어느 순간 아침 해장국을 함께 먹는 사이가 됐다.

연배로 따지면 노 의원은 서너 살 위였음에도 내게 한 번도 하대한 적이 없다. 늘 묵묵하고 성실하게 자신의 일을 해냈다. 그 모습에 반해 내가 먼저 "함께 일을 해봅시다."라고 제의했다. 이후 강산이 한 번 바뀌고 또 바뀌어가는 동안 나와 노 의원은 많은 일을 함께했다. 정책 생산부터 선거운동과 인재 영입까지 함께 뛰며 울고 웃었다.

나는 정치인으로 살아오면서 판단하고 결정해야 하는 일들이 많았다. 많은 분이 2016년 민주당의 총선 영입 인재를 기억하고 있을 것이다. 당시 영입 인재 입당 기자회견은 당직자는 물론 일반 시민들까지도 눈물을 글썽이는 자리였다. 영입 인재들은 모두 남다른 자신만의 스토리도 갖고 있었다. 그 이야기에 시민들은 공감했고 마음을 열었다. 노식래 서울시의원은 당시 당의 총괄로서 현역 의원들이 가지 못하는 곳까지 찾아가 직접 발로 뛰었다. 소통은 무겁고도 치열한 것이다. 그 어려운 일을 노 의원은 해냈다. 많은 시간을 함께하며 저는 '노식래라는 사람'에 대해 확실한 판단을 내릴 수 있었다. '바른 정치를 해낼 사람'이라는 것이다.

"이제 좋은 사람, 착한 사람이 정치를 할 시대가 되었습니다."

나는 얼마 전 출간한 책에서 새로운 시대의 리더가 갖추어야 할 자질과 덕목에 관해 이야기했다. 권력 의지가 아닌 좋은 품성에 국정 경험이 있고 기존의 정치인과 다른 태도와 화법을 갖춘 사람들이 정치를 해야 한다는 것이다. 노 의원은 이러한 나의 주장에 깊이 공감을 해주었다. 나는 노 의원이야말로 새로운 시대의 리더로서 시민들에게 선보일 수 있는 좋은 정치인이라고 생각했다.

누구든 이 책을 읽는다면 비슷한 판단을 하리라 생각한다. 그가 배우고 경험하고 해낸 것들을 보면 그가 좋은 사람이고 좋은 정치인이라는 것을 알게 될 것이다.

이 책은 정읍 수사반장네 다섯째였던 노 의원의 인생과 정치 철학이 담겨 있다. 야학에서 청년기를 보내고 홀트아동복지회에서 상담 활동을 했던 일들이 매우 상세히 기술돼 있다. 그는 모두가 고달프던 시절에도 늘 가슴에 희망을 품고 살았다. 또 당직자로서 세 명의 대통령과 한 명의 서울시장을 곁에서 지켜보며 스스로를 성장시킨 이야기가 펼쳐진다. 굵직굵직한 사건들을 직접 몸으로 체험한 이야기가 매우 흥미롭다. 국회의원과 서울시의원 선거에서 낙방한 사연과 서울시의원으로 당선되기까지 인간적 어려움과 용산을 발전시키고자 했던 다양한 활동이 담겼다. 비록 개인적 스토리지만 그의 이야기를 통해 국가 성장기의 희로애락과 격동기의 현대 정치사를 생생하게 들여다볼 수 있다. 진솔한 그의 이야기는 매우 재미있기까지 하다.

내가 지켜본 그리고 책을 통해 확인한 노식래라는 사람은 '자신의 역량을 키워 세상을 이롭게 하는 사람'이다. 지금까지 노식래 의원은 자신이 되고자 하는 사람이 되기 위해 또 자신을 필요로 하는 사람들을 돕기 위해 참 열심히 살았다. 대학과 대학원을 새로 다니며 공부를 계속한 것은 물론 각계각층의 전문가를 만나 먼저 묻기를 주저하지 않았다. 많은 사람이 "어렵다." "안 된다."라고 손사래를 쳤던 일들도 직접 해내고 말았다. 한남역사 엘리베이터 설치 추진이나 각종 교육 기관의 시설 개보수와 교통 시설 정비 등을 해낸 에피소드를 살펴보면 그야말로 '우리 동네 슈퍼맨'이 따로 없다.

좋은 세상은 '좀 더 나아질 것'이라는 기대를 할 수 있는 세상이다. 나는 이 책을 정치가 좀 무겁고 재미없는 사람 혹은 정치에 대해 알아가고 싶은 청년들이 먼저 읽어보기를 바란다. 그의 이야기는 재미있고 때로는 가슴 뭉클하다. 그리고 어느 순간에는 '이런 사람이 뛰고 있으니 우리 세상은 좀 더 나아질 것'이라는 희망을 품게 한다. 정치가 어려운 독자와 정치를 알아가고자 하는 독자에게 좋은 안내서가 되리라 확신한다.

덧붙여 오랜 동지이자 벗인 노식래 의원에게 "그간 애썼다. 앞으로도 열심히 달려보자!"라는 인사를 전한다.

## 그는 삶을 통해 정치인의 자격과 성장 과정을 보여준다

강태웅, 민주당 용산지역위원장

용산은 내게 용산지역위원장이라는 직함을 지우고도 상당히 의미가 있는 곳이다. 어릴 적 상경해 용산중학교와 용산고등학교를 나왔다. 10대의 대부분을 용산에서 보냈고 지금도 용산에서 생활하고 있으므로 그야말로 제2의 고향이다. 이 부분에서 노 의원도 크게 다르지 않다. 결혼하고 첫 집을 용산에서 마련했고 20년 넘게 지역 토박이로 살고 있으니 말이다. 노 의원과 나는 용산이라는 공간 안에서 맺어진 '이웃사촌'인 셈이다.

다만 우리가 살고 있는 용산은 참 안타까운 사연이 많은 곳이다. 지금은 우리의 품으로 돌아왔으나 용산기지는 오랫동안 금기의 땅이었다. 대한민국에서 가장 부촌인 한남동과 가장 가난한 이들이 사는 쪽방촌이 공존하는 곳이기도 하다. 30~40년 된 오래된 아파트와 스카이라인을 새롭게 하는 마천루도 지척에 있다. 용산에는 생각이 다른 사람들이 많고 해결해야 할 민원도 많다. 정치인으로서는 그야말로 험지가 아닐 수 없다. 노식래 시의원이 지난 4년 가까운 시간 동안 얼마나 많은 애를 썼을지 짐작을 하고도 남는 대목이다.

이 책의 원고 파일을 받았을 때 개인적으로도 기대가 많았다. 용산에서 정치를 펼치고 있는 현역 시의원의 이야기에 큰 호기심이 일었다. 목차만 보아도 당직자로 시작해 두 번의 낙방을 거쳐 시의원이 되기까지 20여 년의 경험이 그대로 담겨 있는 것을 확인할 수 있었다. 책상에 앉아 첫 장을 펼치고 정말 몇 시간을 꼼짝하지 않고 글을 읽어나갔다. 삶의 다양한 사건 사고와 역경 그리고 이를 해결해낸 에피소드가 매우 흥미진진하게 펼쳐졌다. 오랜만에 재미있으면서도 감동 넘치는 이야기를 읽었고 추천사를 쓰기에 주저함도 사라졌다.

노식래 의원은 그야말로 가장 밑바닥에서 정치를 한 사람이다. 지역 주민과 소통하기 위해 새마을금고에서 카드를 만들고, 분식집을 찾아다니며 라면을 먹고, 조기축구회를 쫓아다닌다. 정치를 한다고 바깥으로 도는 통에 가족들에게는 항상 미안한 마음뿐인 가장이기도 하다. 그러나 지역 민원은 솔선수범해서 해결하고 교육 환경 개선은 먼저 나서서 해결한다. 그의 바람은 '사람 살기 좋은 세상'을 만드는 것이다. 없는 사람도 가진 사람도 모두 잘살 수 있는 지역을 만들기 위해 매일 분주하다. 그래서 그의 이야기는 사람 냄새가 나고 따뜻하다.

지금 시대는 수평적 관계가 주를 이루는 시대이다. 과거와 같은 권위주의적이고 상명하달식의 문화는 통하지 않는다. 요즘 세대들은 정치도 하나의 문화로 소비하고 적극적으로 참여한다. 나는 이들에게 이 책을 기쁜 마음으로 추천한다. 노 의원은 유명 정치인은 아니지만 직업적 이유로 20년 넘게 한국 정치의 가장 핵심적인 곳에 머물렀다. 그리고 현재도 시의원으로서 활동하고 있다. 자신의 삶을 통해 평범한 인물이 전문 정치인으로 성장해온 과정을 여과 없이 보여준다. 또한 항상 경청하며 겸손한 자세를 유지함으로써 정치인의 자격을 다시금 확인하게 해준다.

정치는 어렵고 복잡하다. 여럿의 이야기를 대변해야 하고 여럿의 생각을 모아야 하기 때문이다. 그러나 그 과정을 통해 없던 길이 만들어진다. 의의가 절대 적지 않다. 노 의원이 걸어온 길은 현실 정치의 민낯이다. 어렵고 힘들지만 충분한 의미를 갖는 과정이었다. 독자들이 노 의원의 이야기를 읽고 '우리의 길을 만드는 과정'에 함께해주길 바란다.

## 그는 겸손하고 진지하며 참 열심히 일한다

장윤금, 숙명여자대학교 총장

나는 2020년 숙명여대의 첫 직선제 총장으로 취임한 후 용산구 한 행사에서 노식래 의원을 처음 만났다. 용산을 지역구로 둔 시의원으로, 노 의원은 서울시에서 지원하는 대학과 지역 협력 사업에 대해 자세히 안내해 주었다. 또한 대학과 지역사회의 교류와 상생의 필요성을 열의를 가지고 설명해 주었다. 그 후 노 의원을 여러 차례 만나며 반복적으로 듣게 된 인상적인 단어는 '함께' 그리고 '도전'이었다. 그의 겸손하고 진지한 태도에서 참 열심히 일하시는 분이라는 깊은 인상을 받았다.

이 책을 가장 인상적인 부분 역시 확고한 신념으로 최선을 다하는 그의 도전정신이었다. 만학도로 대학생활을 마친 그는 지금도 연세대학교 대학원에서 도시공학을 전공하고 있다. 누가 시켜서 한 공부가 아니기에 즐겁고 신나게 공부를 할 수 있다고 한다. 게

다가 시의원이 되고서는 해외 주요 도시를 방문해 도시계획을 공부하고 그 내용을 출판하기도 했다. 평소 뚜렷한 비전과 목표를 갖고 자신을 준비하는 사람에게 더 큰 기회가 찾아오리란 것은 누구나 예상할 수 있는 일이다. 개인적으로 노 의원의 지금보다 앞으로가 더 기대되는 부분이기도 하다.

이 책에 소개되어 있는 캠퍼스타운사업은 우리 대학과 용산구의 협력관계를 돈독하게 이어주는 가교역할을 하고 있다. 캠퍼스타운사업은 서울시가 대학-지역-청년의 상생을 통한 성장으로 미래 가치를 창출하려는 정책 중 하나이다. 2021년 12월 우리 대학에서 신규 창업공간인 '크로스 캠퍼스CROSS Campus 청파' 개관식과 용산 청년주거포럼을 개최했다. 그때 노 의원은 "크로스 캠퍼스 청파가 청년 창업의 인큐베이터로서 성공적인 역할을 할 수 있도록 지원할 것"이라며 응원을 하였다. 학생들과 만나 학생들의 주거 문제를 토론하며 학생 한 명 한 명의 이야기를 노트에 적어가며 경청하였다. 그리고 마지막에 "나도 딸을 둔 아버지로서 대학생들이 마냥 어리고 도와줘야 할 상대로만 생각했던 것을 반성한다."라며 '앞으로 청년들을 정책의 수혜 대상이 아니라 동등한 참여자로 인정하며 기성세대의 의무를 다하겠다."라는 약속을 했다.

평소 나는 "사람의 시선과 사람의 비전이 삶의 방향을 좌우한다."라는 이야기를 자주 해왔다. 대학의 역할은 창의적인 지식교육과 함께 학생들이 스스로 시선을 높이고, 세상을 변화시킬 꿈과 비전을 키울 수 있도록 기회를 제공하는 것으로 생각한다. 같은 맥락에서 노 의원의 책에 많은 이들의 시선이 머물기를 바란다. 특별히 삶의 비전을 세우고 싶은 젊은 청년들에게 노 의원의 개인적 성장 스토리와 정치인으로서의 다양한 경험의 진솔한 이야기가 좋은 지침서가 될 수 있을 것으로 기대한다.

| 서문 |

함께 걸으며 길을 만들고 싶습니다

"다시 젊은 나이로 돌아간다면 무슨 일을 하고 싶으세요?"

2021년 가을 한창 서울시 행정사무감사로 바쁠 때 의원실로 찾아온 '젊은 손님'이 물었다.

전날 늦은 밤까지 도시계획국 질의 사항을 점검했다. 그리고 다시 출근해서 낮에는 용산구의 전통시장인 신흥시장에 가서 상인들과 만나 점심을 먹고 돌아왔고 오후에는 '이건희 컬렉션'의 용산 유치를 두고 전문가들의 의견을 듣는 모임이 준비돼 있었다. 거기다 밤늦게까지 도시계획국 행정사무감사 내용을 살펴야 했다. 젊은 손님의 눈에는 바쁘고 분주한 나의 생활이 꽤 피곤해 보였던 모양이다.

나는 서류를 찾아 살피다 자세를 고쳐 앉고 진지하게 대답했다.

"좀 더 이른 나이에 정치를 시작하고 싶어요."

젊은 손님은 나의 대답을 듣고 어떻게 생각했을지 모르겠다. 하지만 나로서는 솔직하게 마음을 털어놓은 셈이다. 실제로 나는 정치에 뜻이 있는 후배들을 만나면 나이에 구애받지 말고 선출직에 도전하라는 조언을 자주 했다. 내게도 늘 아쉬운 부분이었다.

젊은 손님은 천천히 고개를 끄덕이며 자리에서 일어나 나가면서 숙제를 하나 던져주었다.

"의원님이 지금까지 걸어오신 길과 앞으로 걸어가고 싶은 길을 책으로 써주시면 좋겠습니다. 정치에 꿈을 가진 청년들과 일반 대중들이 읽어도 좋은 책이 됐으면 합니다."

불시에 나는 그간의 발자취와 정치적 비전을 글로 정리하는 숙제를 하게 됐다. 직업 정치인으로 살아오면서 여러 모임을 이끌고 대중을 상대로 연설도 여러 번 했다. 하지만 글로 나를 소개할 기회는 많지 않았다. 이런 형편에 책 한 권 분량의 글을 써야 한다니 그야말로 막막할 뿐이었다. 다행히 몇 날 며칠 고민을 하고 나니 길이 보였다. '성장과 변화'에 대한 이야기를 하자고 마음먹었다. 배움과 경험을 이끈 주요 사건과 사람들이 나의 글감이 되었다.

나는 사람을 좋아하고 영향을 많이 받는 편이다. 그러다 보니 다양한 사람들에게서 배움을 얻었고 인생의 중요한 순간에도 도움을 많이 받았다. 일례로 20대 YMCA 가입은 경희대학교 보육학과와 성신여자대학교 교육학과에 다니던 두 누나의 권유였다. 나는 정읍에서 막 올라왔는데 YMCA를 통해 첫 관계를 만들어갔다. 누님은 내게 "여러 사람과 함께 봉사하는 활동이 너와 잘 맞을 것"이라며 YMCA를 소개했다. 사회생활을 처음 시작할 때는 "너라면 남을 돕는 일을 누구보다 잘 해낼 것"이라는 친척의 이야기가 힘이 됐다. 덕분에 홀트아동복지회에서 일하겠다는 결심을 굳힐 수 있었다. 7~8년 홀트아동복지회에서 근무한 뒤 '사회사업 현장이 아니라 복지 시스템을 바꿀 수 있는 곳에서 일하고 싶다.'라는 욕심이 생겼을 때도 먼저 손 내밀어준 선배들이 있었다. 이후 국회와 정당에서 변화를 만드는 일들을 하며 수십 년을 보냈다.

생각해 보면 주변의 도움과 배려가 지금의 나를 만들었다. 나역시 선한 영향력을 미치는 사람이 되고 싶다고 생각하게 됐다. 1980년대 야학생활은 그 실천의 시발점이었다. 낮에는 버스회사와 공장에서 일하고 밤에는 공부를 위해 모인 젊은 노동자들과 수년을 보냈다. 사회사업 현장에서는 '누구든 차별이나 차등 없이 대해야 한다.'라는 배움을 실천하고자 했다. '사랑을 행동으로Love in action'라는 홀트아동복지회의 설립 이념은 지금까지 내 삶의 모토로 자리잡혀 있다.

그 후로 국회와 정당 그리고 시의회에서 정의에 부합하게 공익에 도움이 되는 일을 하고자 애를 쓰며 살았다. 그간의 이야기들을 글로 정리하는 것이 배움과 도움을 나눠준 분들에게 보답하는 또하나의 방법이 되지 않을까 기대한다.

나는 정당에서 오래 생활했지만 '내 정치'를 시작한 지는 오래되지 않았다. 그래도 정당인으로 오랫동안 생활한 덕분에 "정치인이 되면 어떤 일을 하게 되느냐?"는 이야기를 많이 들었다. 나의 부족한 이야기들이 이러한 궁금증을 풀어주는 좋은 안내서가 될 수 있지 않을까 기대한다.

'국민의 헌신과 노력을 존중하며, 서민과 중산층의 이해를 대변하고, 모든 사람의 권리 향상을 위해 노력한다.'

현재 내가 소속된 더불어민주당의 강령이다. 정치인의 자세를 잘 보여주는 문구라고 생각한다. 어느 사회든 정치인은 높은 도덕성과 책임감의 표상이 되어야 한다. 나는 그 강령을 가슴 깊이 이해하고 실천하고자 노력했다. 더불어 정치인도 사회의 모든 영역이 빠르게 발전하는 만큼 높은 전문성을 갖춰야만 한다는 생각을 가져왔다. 변화를 이해하고 발맞추는 자세로 오랫동안 공부를 놓지 못했다. 국회의원 비서관으로 시작해 지금의 시의원 자리에서도 행정학과 도시공학 등의 공부를 계속했고, 코로나19가 발생하기 전까지 만 3년 동안 5개국 12개 도시를 돌면서 현장 답사를 다녔다. 돌아보니 정치인의 삶도 자기계발을 지속해야 하는 여느 직장인과 다름이 없다. 책을 통해 공부하며 느꼈던 부분도 더러 풀어놓았다. 미래를 준비하는 젊은 친구들에게 의미 있는 참고가 되길 바란다.

책을 쓰며 과거사들을 정리해 보니 어느새 인생의 중반을 훌쩍 넘어왔다. 나름의 의미를 두고 인생의 구간을 4기로 나누어 보았다. 가치관이 확립되었던 유년기와 청년기, 국회와 정당에서 선배 정치인을 지원하던 배움기, 선출직 정치인이 되기 위해 애쓰던 고군분투기, 그리고 서울시의원이 되어 욕심껏 정책을 펼치는 현재 활동기로 구분이 되었다. 그러나 독자들에게 사적인 이야기를 시시콜콜 들려드리는 것이 어떤 의미가 있을까 고민이 되었다. 그래서 현재성을 띠는 이야기들을 가장 앞서 배치했다. 시의원이 되고자 결심했던 시기부터 시의원이 된 후 활동했던 내용이 가장 흥미롭지 않을까 싶다. 뒤이어 인간 노식래를 정치인 노식래로 성장시켜 준 정치 선배들과 각종 사건을 모아보았다. 항상 배우려는 자세로 임했다. 사실 그래서 많이 배웠다. 지면을 빌어 선후배들에게 감사의 인사를 전한다.

마지막에는 '인간의 무늬'를 그리며 살게 해준 유년과 청년 시절의 배움과 경험을 풀어 놓았다. 사람들은 출발점에 서는 순간일수록 자신의 뿌리를 깊이 돌아보게 된다고 한다. 나 역시 역경이 닥치거나 큰 결정을 해야 할 때 내 삶의 가치관이 뿌리내리던 시기를 자주 돌아보곤 했다. 유년부터 청년 시절까지의 경험이 없었다면 "더불어 잘사는 세상을 만들고 싶다."라는 꿈도 꾸기 어려웠을 것이다. 소소한 이야기들이 읽는 이에게 잔잔한 물결로 전해지길 바라본다.

돌아보면 개인의 성장사지만 최근 30년간의 이야기는 한국 정치사와 씨줄 날줄처럼 엮여 있다. 원고를 정리하며 해묵은 사진도 함께 정리했다. 작고하신 김대중, 노무현 전 대통령을 포함해 정재계 많은 분을 다시 만날 수 있었다. 감회가 새롭고 의미 있는 시간이었다.

초벌 원고를 쓰고 추천사를 받고 싶은 분들과 가까운 지인들에게 인사차 보내드렸다. SNS로 한 줄 평이 도착했다.

"인간 노식래가 정치인 노식래로 성장한 후 구민과 함께 길을 만들어 온 과정이네."

실로 마음에 남는 독후평이었다. 실제 나는 사석에서 "함께 걸으며 길을 만들고 싶습니다."라는 말을 자주 했다. 아직도 우리 사회에는 정치를 낯설고 어려워하는 이들이 많다. 그런 그들에게 나는 사촌 같고 이웃 같은 정치인이 되고자 했다. 그래서 구민들과는 특히 자주 만났다. 눈으로 볼 수 있고, 귀로 들을 수 있고, 손이 닿을 정도로 가까운 곳에서 구민들과 소통하고자 애를 썼다.

나는 몇 년 전부터는 주민들과 함께 남산 둘레길을 같이 걷는 모임과 영화를 보고 이야기를 나누는 모임 등을 이끌었다. 그렇게 정기적으로 구민들과 만나다 보니 자연스레 동네 사정에도 훤해졌다. 어느 집이 밤마다 폭주족의 소음에 시달리고 어느 학교의 실습실과 도서관이 낡아 아이들이 불편한지를 알게 됐다. 주민들의 민원을 해결하는 일이 훨씬 수월해졌다. 주민들이 도시재생 아이디어 공모에도 적극적으로 나서주어 일손을 많이 덜기도 했다. 앞으로도 구민들과 멋진 길을 만들어가길 기대한다.

마지막으로 지금까지 함께 걸어온 분들에게 인사를 전하고자 한다. 먼저 성장을 견인해준 많은 선후배님께 감사 인사를 드린다. 그들은 지난 수십 년 동안 베풀고 나누기를 마다하지 않으셨다. 혹여 책에 실린 글과 사진이 누가 되지 않기를 바라며 넓은 이해를 구한다. 다음으로 '정치인 노식래'를 만들어 준 용산 구민들에게 감사 인사를 전한다. 용산은 내게 제2의 고향이다. 정치 불신으로 불편한 감정을 토로하던 구민들이 지금은 응원의 메시지를 보내주기도 한다. 덕분에 지난 4년 시의원으로서 욕심껏 일할 수 있었다. 머리 숙여 감사 인사를 전한다. 또 사랑하는 가족들에게 감사 인사를 전한다. 지난 수십 년간 저는 가진 역량 이상으로 일을 벌이고 해결하느라 동분서주했다. 가족들에게는 늘 부족한 사람이었다. 항상 기도하며 응원해준 아내와 딸에게 사랑과 감사의 마음을 전한다.

더불어 이 책을 통해 만나게 될 독자들에게 인사를 전한다. '만남'은 중요한 사건이다. 나 역시 많은 만남을 통해 성장했고 위로를 받았다. 책도 '좋은 만남'의 한 형태임이 틀림없다. 독자들에게 이 책이 의미 있는 만남이 되기를 바라며 부족한 글을 세상에 내놓으려 한다.

2022년 2월
서울시 의원회관에서 노식래

# 1장

# 더불어 잘사는 서울을 디자인하겠습니다 · 31

## 2장

## 용산을 서울의 중심으로 만들겠습니다 • 77

# 3장
## 세 명의 대통령을 통해 정치를 배웠습니다 • 177

4장

# 부모님과 친구들과 노동자들을 통해 삶을 배웠습니다 • 223

1장

더불어 잘사는 서울을
디자인하겠습니다

# 제2의 고향 용산에서
# 시작하다

"제 삶의 터전 용산에서 시작하겠습니다!"

나는 전라북도 정읍에서 나고 자랐다. 그러다 보니 내 정치를 하겠다고 했을 때 "전라도로 내려가는 것이 어떻냐?"는 권유도 받았다. 나는 전혀 그럴 뜻이 없었다. 내 삶의 터전은 용산이므로 용산에서 시작하겠노라고 당당히 뜻을 밝혔다. 실제 나는 용산에서 첫 신혼집을 마련했고 딸 희륜이를 낳았다. 우리 부부 명의의 집도 장만했다. 이만하면 용산에 뿌리를 두기 넉넉한 인연이라고 생각한다. 용산에 대한 남다른 감흥을 갖는 것도 어찌 보면 당연해 보인다.

용산과의 인연을 이야기하자면 아내와의 인연부터 이야기해야 한다. 나는 결혼을 늦게 한 편이다. 아버지가 일찍 돌아가시고 손 벌릴 곳이 없었다. 민주당의 당직자 생활을 오래했지만 예나 지금이나 시간도 돈도 많지 않았다. 마음 한편에는 '누구 데리고 오면 고생만 시키지.' 하는 생각에 결혼은 염두에도 두지 않았다. 그런데 짚신도 짝이 있다고 정말 좋은 사람을 만나 결혼까지 하게 됐다. 이미 불혹의 나이에 들어섰을 때다.

아내는 논산 사람이다. 나만큼이나 가진 것이 많지 않았다. 당장 신혼집을 어디다 구해야 할지도 고민이었다. 20년이나 서울에서 살았지만 내 집 한 칸 마련하지 못했고 바깥일이 바빠 집은 잠만 자는 곳이었다. '가족이 함께 사는 곳'으로서 집의 의미를 알지 못했다. 둘이 한참 고민할 때 아내의 고모님이 "용산이 살기 좋으니까 와."라고 이야기해 주었다.

아내와 함께 용산 이곳저곳을 돌아보았다. 여느 신혼부부들처럼 비슷하게 집을 얻었다. 집이 마음에 들면 돈이 부족했고, 돈이 맞으면 집이 마음에 들지 않았다. 서로 절충하는 선에서 서계동(청파동)의 다세대주택에 신혼집을 구했다. 1997년 IMF 이후라고 해도 없는 형편에 그만한 집을 구하기도 쉽지 않았다. 전셋집은 언감생심이었다. 방 2칸의 월셋집에 단출한 신혼살림을 차렸다. 집주인 부부는 동네 교회에 다니시는 권사님 내외였다. 나중에 이분들과 함께 한 교회에 가게 됐으니 인연이라면 인연인 셈이었다. 다세대주택은 지층이 있고 1층과 2층이 있었다. 집주인은 2층에 살고 지층과 1층은 세를 주었다.

마당이 아주 작게 있는 다세대주택 1층에서 딸 희륜이를 얻었다. 갓난아이가 자라서 유치원에 다닐 때까지 그 집에서 살았다. 아내가 크게 불편을 이야기하지 않았으므로 나도 별생각이 없었다. 사실 나로서는 집보다 바깥에 있는 시간이 훨씬 많았기에 불만을 이야기하기도 뭣했던 상황이다.

딸아이가 자라는 모습을 지켜보는 것은 그야말로 놀라운 경험이었다. 언젠가는 주일에 교회에 갔다가 낮에 잠깐 잠을 자고 일어났다. 아내와 아이가 보이지 않았다. 집 앞 골목에 나왔더니 아내는 슈퍼에 갔는지 보이지 않았고 딸아이가 혼자 씽씽이를 타고 놀고 있었다.

"희륜아!" 하고 부르니 "아빠~ 일어나셨어요?" 하고 내게 달려와 안겼다. 순간 코끝이 찡해지면서 마음이 울컥했다. 그때 딸아이를 안고 한참을 있었다. 그후로 딸아이가 사춘기가 돼 속을 썩이거나 마음에 들지 않은 행동을 할 때면 그때를 떠올리곤 한다. 내게 달려와 벅찬 사랑을 부어주었던 어린 딸을 생각하면 언짢은 마음도 눈 녹듯 사라졌다.

첫 집은 딸아이가 대여섯 살쯤 장만했다. 다세대주택이 팔렸다. 집주인 어르신은 집을 온전히 비워주어야 한다며 새집을 구하라고 했다. 날짜가 촉박해 집 없는 설움을 느낄 새도 없이 집을 구하러 다녔다. 마침 가까이에 5층 아파트 단지가 있었다. 오래됐지만 방도 3개였고 학교도 가까웠다. 아내와 나는 그곳에서라면 딸아이가 초등학교에 다녀도 크게 불편이 없으리라고 생각했다. 무엇보다 놀이터가 군데군데 있어 좋았다. 큰 고민 없이 계약했다.

우리 부부에게는 첫 집이었다. 결혼을 하고도 예닐곱 해가 지난

나는 신혼집을 용산에 얻으면서 용산에 뿌리를 내렸다. 나는 '좋은 도시란 한 소년(소녀)이 커서 무엇이 될지를 일깨워주는 곳'이라고 믿고 있다. 딸 희륜이가 그런 꿈을 꾸고 키울 수 있는 용산을 만들고 싶다.

후였다. 나는 마음을 먹고 이사 전에 도배며 장판이며 한참 멋을 냈다. 비록 헌 집이지만 우리 가족에게는 첫 집이자 새집이었다. 딸아이에게 예쁜 방을 만들어줄 생각에 신이 났다. 딸아이가 제 방을 보고 까르르 웃던 기억이 아직도 생생하다.

'아, 이제 정말 용산이 내 터전이구나!'

이상하게도 그때 처음으로 용산이라는 지역에 깊이 뿌리를 내렸다는 느낌을 받았다. 내 가족과 내 집이 있는 그곳이 나의 터전이자 고향이라는 생각이 들었다. 그 후 아내에게서도 이와 비슷한 이야기를 들은 적이 있다. 아내 역시 고향에서 10대를 다 보내고 서울에 올라오다 보니 오래 살았어도 도통 서울시민이라는 감흥을 느끼지 못했다고 한다. 그러다 결혼을 하고 가정을 이루고 나니 '이곳이 내 집이구나.'라는 생각을 하게 됐단다.

나는 '내 정치'를 해야겠다고 생각했을 때 용산을 터전으로 활동하고 싶었다. 오래 살았으므로 용산의 사정에 대해 너무도 잘 알고 있었고 정책으로 하고 싶은 일도 수없이 떠올랐다. 용산이라면 잘할 수 있겠다는 자신감도 생겼다.

그러나 당시 나는 당직자로 이렇다 할 지역 활동을 했던 것은 아니었다. 그럼에도 용산을 기반으로 시민들을 만나고 생활 정치를 한다는 것이 전혀 겁나지 않았다. 그래서 선출직을 권유하는 당의 관계자분들에게 서슴없이 "용산에서 시작하겠습니다."라는 이야기를 꺼냈다. 이야기를 들은 많은 관계자가 수긍하고 고개를 끄덕여 주었다. 지금까지 나의 선택에 대해 후회를 한 적은 단 한 번도 없다.

# 첫 번째 도전과
# 패배에서 배우다

'그릇을 키워야 한다.'

내 정치를 하겠다고 결심하고 처음으로 도전한 것이 2012년 민주통합당 공천이었다. 그러나 나는 경선에서부터 무참히 패배했다. 실망을 넘어서 분하고 억울한 마음도 없지 않았다. 그러나 돌이켜 보면 그날의 패배 넉분에 각오를 절실하게 다지게 됐다. 어찌 보면 독한 약이 되지 않았나 싶다.

내가 처음 '내 정치를 해야 하지 않을까?' 하는 고민을 한 것은 새천년민주당 선대위 국장을 했던 때다. 추미애 의원과 함께 지역 유세장에 가던 길이었다. 추미애 의원이 다른 의원의 연락처를 물어보았다. 핸드폰을 꺼내 연락처를 살피는데 전에 없이 눈이 침침했다. 고개를 들고 나이를 헤아려 보니 이미 돋보기를 써야 할 때가 지나 있었다.

내가 정치를 하겠다고 결심하고 처음으로 도전한 것이 2012년 민주통합당 공천이었다. 그러나 나는 경선에서부터 무참히 패배했다. 돌이켜보면 그날의 패배 덕분에 그릇을 키울 수 있었고 각오를 절실하게 다지게 됐다.

마음 한편에서는 '이제 후방에서 국회의원들을 지원하는 일은 그만해야 하는 것이 아닐까?' 하는 생각이 들었다. 이미 당에는 젊고 빠릿빠릿한 당직자들이 많이 있었다. 그네들에게 자리를 넘겨주고 다른 일을 해도 되겠다는 생각이 들었다. 이어서 '지금이야말로 내 정치를 시작해야 할 때가 아닌가?' 하는 생각도 들었다. 전에는 생각해 보지 못했던 인생의 또 다른 길이었다.

당에 소속돼 각종 업무를 보는 당직자에게는 크게 두 가지 길이 있다. 첫째는 당직자로서 정년을 맞는 것이다. 당의 행정을 관장하며 잔뼈가 굵어진다. 둘째는 선출직으로 출마해 국회나 지방의회나 지방정부에서 자신의 기량만큼 일해보는 것이다. 이미 당에 있던 많은 선후배와 동기들이 선출직으로 국회와 지방의회 그리고 지방정부에서 일하고 있었다.

나는 당직자의 길을 오래 고수해왔다. 특별한 뜻이 있었던 것은 아니다. 단순히 '내 깜냥에 맞는 자리'라는 생각이 있었다. 나의 능력을 인정해주고 나를 알아주는 이들과 함께 일하는 데서 오는 만족감도 상당했다. 선거와 당내 행사를 숱하게 치르며 국회의원과 지방정부의 장들을 지원하는 일을 많이 했다. 결과가 어떻든 항상 최선을 다했다. 그러다 보니 후보자들과 당선자들로부터 과분한 인사를 받았다. 거기에 만족하는 생활을 오래했던 것 같다.

그런데 어느 날 고개를 들어보니 내 머리에도 서리가 앉았다. 연륜이 쌓였다고는 하나 후방에서 지원업무를 하기에 더 나은 조건은 아니었다. 막 시작된 새로운 고민에 며칠 밤을 설쳤다.

"그렇지. 이제 해야지. 노식래의 정치를 시작해야지."

대변인과 부대변인으로 호흡을 맞췄던 현역 국회의원들로부터 많은 응원의 말을 들었다. 가능성이 없지 않겠다는 생각이 들었다. 나는 제19대 국회의원 선거를 준비하기 위해 예비후보자로 등록했고 민주통합당에 공천을 신청했다. 공천 준비 서류인 리포트도 열심히 썼다. 많은 이들을 만나러 다니고 인사도 했다.

다시 가장 크게 도움을 준 이는 최재성 전 국회의원이었다. 최재성 전 의원은 2004년 노무현 대통령의 탄핵 국면에서 제17대 국회의원으로 의회에 입성했다. 나는 열린우리당 당직자로서 최재성 전 의원과 처음 인사를 했다. 그렇게 수개월을 지내다가 목욕탕에서 자주 얼굴을 보게 되면서 말을 섞게 됐다. 목욕탕은 우리가 일주일에도 몇 번씩 얼굴을 마주쳤던 장소다. 당시 열린우리당 부대

2021년 최재성 청와대 정무수석과 김대중 대통령 묘소(국립현충원) 참배에 동행했다.

문재인 대통령이 더불어민주당 당 대표 때 사무부총장(총무 부본부장)으로 종무식을 함께했다.

문재인 대통령이 더불어민주당 대표 때인 2016년에 김병관 인재 영입 후 격려의 말씀을 전하고 있다.

변인이었던 나는 당사에서 살다시피 했고 초선의원이었던 최재성 의원은 국회의사당에서 살다시피 했다. 새벽마다 여의도의 한 목욕탕을 찾았다. 자연스럽게 이야기를 나누는 시간이 잦아졌다.

그러던 어느 날 최재성 의원이 전화를 주었다. 같이 식사하는 자리에서 "미래를 함께 만들어가보자."라는 이야기를 꺼냈다. 누군가가 나를 알아봐 주었다는 사실에 가슴이 설렜다. 이후 나는 최재성 의원과 오래도록 손발을 맞췄다.

비교적 초기 의원 시절 최재성 의원은 한아시아우호재단 도서사업을 진두지휘했는데 베트남, 캄보디아, 키르기스스탄, 라오스, 미얀마 5개국에 책을 보내는 사업도 했다. 그때 함께 대상국을 다니며 필요한 사업들을 같이 했다. 이후로는 선거철마다 지방을 돌며 함께 모텔 생활도 했다. 동고동락하는 시간이 길어지니 사이가 막역해졌다. 내가 최재성 의원보다 상당히 나이가 있었다. 하지만 나는 국회의원이라는 자리에 맞게 깍듯하게 예의를 차렸다.

2012년 내가 민주통합당 공천신청을 하던 때를 기준으로 나와 최재성 의원은 10년의 시간을 함께했다. 최재성 의원이 당의 대변인이던 시절 나는 부대변인을 맡았다. 최재성 의원이 당의 사무총장을 할 때 나는 사무부총장을 맡았다. 최재성 의원이 지방선거 총책임자로 바쁜 시절 나 역시 총괄실장으로 함께 전국을 누볐다. 비교적 최근인 제20대 국회의원 선거 때도 최재성 의원과 나는 인재영입에 함께 공을 들였다.

2012년 민주통합당 내부 경선이 진행되기에 앞서 최재성 의원

2016년 더불어민주당 최재성 의원과 함께 인재영입 후 행사에 참여했다.

은 오랜 지기로서 그리고 선배 의원으로서 많은 가르침을 주고 힘도 보태주었다. 사실 나는 나름대로 '도가 텄다'고 할 정도로 당직자로서 선거 경험이 풍부했다. 그러나 막상 내 선거를 준비하자니 어디서부터 시작해야 할지 막막했다. 최재성 의원은 경선 4~5개월 전부터 꼼꼼히 실무를 챙겨주었다. 사무실을 얻고 직원을 배치하고 후원회를 꾸리는 그야말로 '선거를 준비해본 사람만이 알 수 있는 실무'들을 알려주었다. 그리고 직접 나서서 '노식래 후보 후원회장'도 맡아주었다. 말로 다 못 할 고마운 일이었다. 지금도 최재성 의원은 '정계 멘토'답게 자주 연락을 준다.

다음으로 변호사 출신으로 19대 국회에 입성한 최재천 의원도 많은 조언을 해주었다.

"여러분, BBK를 밝혀내기까지 파헤치고 쫓아다니던 노식래 예비후보를 기억해 주십시오."

추천 영상도 만들어주었다. 당시 몇몇 국회의원들이 이명박 전 대통령과 관련된 BBK 사건을 파헤치기 위해 언론과 인터뷰를 많이 했다. 최재천 의원은 그 자료들을 준비하고 제보를 받아 사실관계를 확인하던 부대변인들의 노고는 주목을 받지 못했다고 안타까워했다. 일부러 그 부분을 짚어준 것이 고마웠다.

나는 주변의 이러한 도움에도 불구하고 당내 경선이라는 첫 번째 허들도 넘어서지 못했다. 그때 '실제 주자가 되어 뛴다는 것은 이런 것이구나.' 처음 느꼈다. 사실 억울한 부분도 없지 않았다. 그러나 '부족한 것을 인정하고 다음을 기약해야 한다.'는 생각으로 마음을 다잡았다.

"승복할 수 없습니다. 하지만 승복하겠습니다."

나는 '용산 구민 여러분께 드리는 공천 탈락의 변'을 쓰며 후보자가 되지 못한 아쉬움이 크지만 정권교체를 위해 묵묵히 선거를 지원하겠다는 인사를 전했다.

'나는 어떤 준비가 되어 있는가?' 이때부터 다시 곰곰이 생각해 보았다. 당 내 후보자 선출은 절대 가볍지 않다. 각종 실사와 면접까지 진행하며 철저한 검증 과정을 거친다. 당시 나는 '정치 신인'이었다. 그야말로 힘도 없고 돈도 없고 조직도 없었다. 부대변인으로 얼굴을 알렸다고는 하지만 용산 구민에게는 '이름 없는' 예비후보자 중 한 명일 뿐이었다. 집에 칩거하며 며칠을 생각에 생각만 했다. 그러다 전화 한 통화를 받았다. 전화기 너머로 이종걸 의원의 목소리가 쩌렁쩌렁 울렸다.

"이 사람아, 집에만 있으면 뭐 하나? 사람을 만나야 길도 찾고 답도 찾는 거지. 어서 나오시게!"

이종걸 의원과 나는 전부터 친분이 두터웠다. 2009년에는 이종걸 의원의 조부인 우당 이회영 선생의 발자취를 되짚어보는 여행을 함께 다녀오기도 했다. 항일유적지는 주로 만주에 있었다. 지금은 정치평론가로 활동하는 정기남 전 공보비서관, 이철희 청와대 정무수석, 채현일 영등포구청장 등 10여 명 동료를 더 모아 일주일 정도 기간에 걸쳐 만주 일대를 돌아보았다. 만주 벌판을 돌아 신흥무관학교의 남루한 자취를 돌아볼 때는 마음이 무거웠다.

'아무것도 없이 이 외지고 험한 곳에서 독립을 꿈꾸셨구나.' 독립운동가의 힘겨운 삶을 조금이나마 엿볼 수 있었다. 이종걸 의원은 이날의 기록들을 모아 『경계에 서다』라는 책을 냈다. 나도 틈틈이 읽고 소감문을 전해주곤 했다.

이종걸 의원은 평소에도 "사람을 자주 많이 만나라."라는 이야기를 자주 했다. "집에 아픈 사람이 있을수록 소문을 내라."라는 말처럼 어렵고 곤궁한 상황일수록 주변에 많이 알려서 해법을 찾고 도움도 받아야 한다는 이야기였다.

나는 다시 일상으로 복귀했다. 아마 며칠을 더 혼자 끙끙댔다 해도 뾰족한 수를 얻기는 어려웠을 것이다. 나는 몇 번이고 "아직 때가 되지 않았다."라는 말로 스스로를 타일렀다. 사실 당시로서는 할 일을 찾아 열심히 하는 것밖에 달리 길이 없기도 했다. 일단은 어디든 사람들 속에 머물러 있어야 할 때였다. 묵묵히 그렇게 계속 앞으로 나아갔다.

# 다시는 지지 않겠다고
# 다짐을 하다

'내가 과연 정치인이 될 수 있을까?'

경선 패배 후 고민이 전혀 없던 것은 아니다. 그러나 나는 곧 다음 선출직에 도전하기로 했다. 설사 말단의 자리라도 내가 할 수 있는 곳에서 '더불어 잘사는 서울'을 만드는 일을 해야겠다고 다시 한번 결심했고 다음에 치러질 선거를 준비하기 시작했다.

2014년 6월 4일 치러진 제6회 지방선거에서 나는 용산에 지역구를 둔 서울시의원으로 출마했다. 그러나 결과는 이번에도 낙선이었다. 쓰디쓴 고배를 마셨다. 하지만 주변으로부터 여러모로 안타깝다는 이야기를 많이 들었다. 선거기간 내내 그리고 선거 결과를 받아들고 내내 마음이 아팠다.

나는 선거운동 당시 가슴에 항상 노란 리본을 달고 다녔다. 선거일을 두어 달 앞둔 4월 16일 대한민국을 충격에 빠트린 세월호 사

제9대 서울시의원에 입후보 했을 때. 당시 세월호 사건이 터지고 얼마 되지 않았다. 생때같은 자식을 잃은 부모들이 있는데 유세차량에 올라 "저를 뽑아주십시오!" 큰소리가 나올 리 만무했다. 나는 한 번도 유세차에 올라 마이크를 잡지 못했다. 유세차는 세워둔 광고판 신세가 됐다.

건이 일어났다. 대한민국의 부모로서 너무도 안타깝고 비통한 사건이었다. 진상 조사에 목소리를 높일 수밖에 없었다. 그러나 시민 모두가 같은 마음은 아니었다. 지탄의 목소리도 없지 않았다.

"지겹다. 그만해라. 이제 경제를 살려야 한다."

선거기간 내내 마음이 아프고 고민도 많았다.

용산은 지역 특성상 대한민국에서 가장 잘사는 사람과 가장 못사는 사람이 공존하는 지역이다. 노숙자도 살고 최고의 부자라고 할 수 있는 이건희 회장도 살던 곳이다. 그러니 모두의 이해가 다르고 정치색도 제각각이다. 선거운동 중에 달려와 "노란 리본 좀 떼고 다녀라!"고 소리를 지르는 시민도 있었다.

그러나 나는 듣지 않았다. 노란 리본만큼은 이런 부자와 빈자, 강자와 약자 모두가 지켜내야 할 가치라고 생각했기 때문이다. 나뿐만이 아니었다. 많은 후보자가 그러했고 전국에 조문객이 넘쳤다.

유세는 차분하고 조용하게 이루어졌다. 생때같은 자식을 잃은 부모들이 있는데 유세차량에 올라 "저를 뽑아주십시오!" 큰소리가 나올 리 만무했다. 나는 한 번도 유세차에 올라 마이크를 잡지 못했다. 유세차는 세워둔 광고판 신세가 됐다. 자연히 후보의 정책과 공약을 알릴 기회도 적을 수밖에 없었다. 그러나 일단 받아들였다. 나와 운동원들은 상가에 둘러앉은 조문객마냥 조용히 선거운동 기간을 넘겼다.

결과는 48.3%로 낙선. 두 번째 패배였다. 또다시 반성의 시간이 시작됐다. 처음에는 '시대의 비극 앞에서 내가 무엇을 더 할 수 있었겠는가?' 자기변명을 했다. 하지만 채 몇 시간도 안 돼서 '세월호가 없었다고 과연 내가 이길 수 있었을까?' 하는 자기반성이 일었다. 쉽게 "그렇다." 답할 수가 없었다. 나는 여전히 부족한 후보자였다.

'나는 용산이 어떤 곳이라고 생각하는가? 나는 용산에 어떤 뿌리를 두고 있는가?'

사실 지방의회에 출마한다는 소식을 듣고 많은 정치인이 인사를 와주었다. 그게 참 고마웠다. 그런데 선거를 치르다 보니 여전히 나는 가진 것이 없는 정치 신인에 지나지 않았다. 그만큼 내게는 정치적 자원이 빈약했다.

대표적으로 지역에 거점을 둔 풀뿌리 조직이 내게는 없었다. 모두가 나를 도와준다고 하지만 일정을 잡아주고 사람들을 소개해 줄 참모진이 없었다.

"선거란 내 조직이 없는 곳에서 '얼굴이 익은 사람' 정도의 인식만으로는 결코 승리할 수 없는 것이다."

당직자로 수십 년간 선거판을 뛰어다니며 후배들에게 누누이 강조했던 말이다.

선거에 나가고 거기서 승리하고자 한다면 후보자를 지원해줄 탄탄한 조직을 만들어야 했다. 그러다 보니 중앙당에서는 후보자를 공천한 후에 반드시 선거 지원을 함께했다. 당직자들까지 후보자와 함께 지역에 내려가 지역민과 후보자 사이의 연결고리 역할을 했다. 나만 해도 선거 지역에 내려가 지역의 오피니언 리더를 만나 인사하고 후보자를 소개시키고 대화할 많은 기회를 만들었다. 그렇게 서로 이해의 폭이 넓어지고 깊어져야 선거의 승리를 확신할 수 있다. 그런데 정작 내 선거에서는 용산 구민과 나를 연결시켜줄 운동원들이 많지 않았다. 결정적으로 내 사람들이 없었다. 용산구가 제2의 고향이라고 하지만 나를 알리고 네트워크를 형성하는 기초적인 노력을 많이 하지 못했던 탓이다.

'그렇다면 이제부터 나는 무엇을 해야 하는가?'

한참 고민이 깊을 때 전화 한 통이 걸려왔다. 추미애 의원이었다. 점심이나 같이하자며 나오라고 했다. 나는 옷을 주섬주섬 챙겨 입고 약속 장소로 나갔다. 추미애 의원은 고즈넉한 일식당을 예약해

선거대책위원회 국장 시절. 당시 추미애 민주당 대표를 모시고 많은 일정을 소화했다.

두었다. 인사를 하자마자 "고생했습니다."라는 말로 위로를 해주었다. 나는 속으로 눈물을 삼켰다.

"선거란 게 참 어렵습니다. 이기면 좋은데 그게 뜻대로 되지 않지요. 그래도 다음이 있으니 너무 낙심하지 마세요. 더 잘 준비하면 됩니다. 노 부대변인이 쌓은 경륜과 연륜을 현실 정치에서 펼칠 날이 반드시 올 것입니다. 다시 준비하세요."

추미애 의원과 나는 당직자와 국회의원으로 오랜 기간 연을 이어왔다. 나는 열린우리당이 창당될 때에도 추미애 의원과 같이 새천년민주당에 남았다. 나름의 의리라고 생각했다. 추미애 의원이 미국에 머물던 몇 년 동안에도 인연을 계속 이어왔다. 그 긴 세월 끝에 추미애 의원의 위로를 듣고 있자니 마음이 애잔했다.

"다시 시작하겠습니다."

추미애 의원과 헤어져 돌아오는 길, 나는 선거운동을 다녔던 용산의 큰길들을 둘러보았다. 1시간 넘게 걸으니 신기하게 다시 기운이 솟았다. '다음에는 절대 지지 않으리라.' 마음속 다짐을 하고 또 했다.

# 얼굴도 이름도 모르는
# 분들의 지지를 받다

"왜 낙선사례 안 붙여요? 선거 이번만 하고 말 거예요? 빨리빨리 해야지. 그것도 시간 지나면 못 붙이는데……."

'당선사례'란 선거에 뽑힌 사람이 뽑아준 시민들에게 고마움을 나타내는 말이나 글이다. 흔히 투표를 마치고 결과가 발표되면 바로 곳곳에 걸린다. 당직자 때 나도 수없이 많은 당선사례를 걸었다.

그러나 2014년 서울시의회 선거에서 당선사례를 걸 일이 없었다. 낙선한 마당에 무슨 플래카드를 걸겠는가. 아예 생각지도 않았다. 그런데 며칠 뒤 함께 선거를 뛰었던 용산구민에게서 전화가 왔다. 목소리를 들으니 나보다 더 애가 타는 모양이었다. 전화 몇 통을 받고 나는 '그런가? 붙여야 하나?' 잠깐 고민을 했다. 전화까지 걸어서 알려주는 이가 있는데 모른척하기도 어려웠다. 썩 내키지는 않으나 플래카드를 제작했다. 당선사례가 아닌 낙선사례였다. 마음이 좋을 리 없었다.

며칠 뒤에 해방촌에서 호남향우회 행사가 열렸다. 참석하면 좋겠다는 연락이 왔다. 솔직히 발걸음이 가볍지는 않았다. 얼굴이라도 알려야겠다는 생각으로 참석을 했다. 안면이 있는 사회자는 간략히 내 소개를 했다.

"노식래 후보님은 지난 20년긴 한 번도 당선자가 없던 불모지에 와서 1퍼센트 차이로 낙선을 했습니다. 보수정당의 아성에서 민주당의 가치를 구현하기 위해 고군분투하고 계십니다. 여러분들께서도 많은 지지 부탁드립니다."

일어나 인사를 했다. 마음속에서는 '당선자의 자격으로 왔으면 더 좋았겠다.'라는 아쉬움이 일었다. 그럭저럭 별일 없이 행사를 마쳤다. 다행히 여러분들과 인사를 나눌 수 있었다. 행사장을 나올 때는 이미 저녁 시간을 한참 넘긴 뒤였다. 나는 서둘러 자리에서 일어섰다. 그런데 식당 문을 열고 밖으로 나올 때 누군가 내게 아는 척을 했다. 길을 가던 젊은 부부였다. 아내가 먼저 내게 인사를 하고 남편에게 나를 소개했다.

"여보, 이번에 민주당 후보로 나오셨던 노식래 후보님이셔."

나는 일면식도 없는 남편분과 어색한 악수를 했다.

"이번에 힘드셨을 텐데. 선거 치르느라 애 많이 쓰셨어요."

젊은 부부의 이야기를 듣고 머리를 한 대 얻어맞은 것처럼 큰 충격을 받았다. 젊은 부부와 헤어져 집으로 돌아오는 내내 그 충격에서 헤어나지 못했다.

솔직히 나는 그 젊은 부부를 전혀 알지 못했다. 그때 처음 본 사람들이었다. 그렇지만 젊은 부부는 나를 알고 있었고 내가 소속된 당을 알고 있었다. 틀림없이 내게 자신들의 표를 주었으리라 짐작됐다.

'용산에 이런 사람이 얼마나 더 있을까?'

핸드폰을 꺼내 지난 선거에서 내가 받은 표를 헤아려 보았다. 용산구 제2선거구에서 새정치민주연합 노식래 후보에게 투표한 이가 정확히 2만 3,196명이었다. 얼굴도 모르고 이름도 모르는 2만 명이 넘는 용산구민이 노식래에게 자신의 소중한 표를 행사해 주었다. 나는 정신이 번쩍 들었다.

"대충해서는 안 되겠구나. 정말 열심히 해야겠구나."

솔직히 개표 결과가 나오고 주변의 위로를 듣던 때부터 "곧바로 다음 선거를 준비하겠습니다."라는 인사를 했다. 다른 길은 없었다. 4년 후 서울시의회 선거에 도전하겠다는 결심은 확고했다. 하지만 마음 깊은 곳에서는 석패의 아쉬움이 여전히 남아 있었고 1퍼센트로 졌다는 사실에 속이 쓰렸다. 한편에서는 '다음에는 조금만 더 열심히 하면 되지 않을까?' 하는 약은 생각도 있었다. 그러나 그것은 정말로 얕은 생각이었다. 나를 지지해준 이들의 성원을 생각한다면 결코 그렇게 해서는 안 되는 거였다. 죽기 살기로 열심히 뛰어야만 했다. 젊은 부부는 내게 그것을 일깨워주었다.

그후 지금까지도 그 젊은 부부와의 인사를 수시로 떠올린다. 내가 모르는 그러나 나를 아는 시민들을 위해 '오늘도 열심히'를 다짐한다.

# 용산구 발전에 대해서는
# 다 같은 생각이다

'나를 알릴 방법이 뭐가 있을까?'

방법은 생각보다 많지 않았다. 무턱대고 "저 정치인 노식래입니다." "저 다음 선거에서 시의원 후보로 나올 건데 꼭 좀 뽑아주십시오."라며 인사를 다닐 수는 없는 노릇이었다. 실제 몇 번 그렇게 이야기를 꺼내 봤는데 반응이 좋지 않았다. 그런 식으로 지역 주민들을 만나러 돌아다녔다가는 문전박대당하기 십상이었다.

나는 이 궁리 저 궁리를 하다가 새마을금고를 찾았다. 새마을금고는 지역 주민들이 가장 쉽게 찾는 금융 창구다. 조합 형태로 운영되기 때문에 지역에서 활동하는 많은 사람들을 만날 수 있다. 나는 새마을금고에 조합원으로 가입을 하고 신용카드도 만들었다. 보험도 들었다. 그렇게 수시로 드나들며 얼굴을 알렸다.

그리고 친구들을 만나든 선후배를 만나든 동창회를 하든 밥은 꼭 용산에서 먹었다. 아내와 장을 볼 때도 지역 재래시장을 이용했고 병원도 가까운 곳만 다녔다. 이렇게 용산 이곳저곳을 쫓아다니니 아는 얼굴들이 많아졌다. 가벼운 대화를 시작으로 친분을 쌓을 수 있는 이런저런 이야기도 하게 됐다.

물론 가끔은 복병을 만나고 어려운 일들도 벌어졌다.

한 번은 조기축구회에서 운동을 마치고 밥을 먹은 후에 커피를 한잔할 겸 동네 찻집을 찾았다. 이런저런 이야기를 하다가 "저는 민주당에서 부대변인을 했는데……." 이야기를 꺼냈다. 그런데 갑자기 조기축구회 회원 한 분이 일어나서 나가버렸다. 모두 당황하는 사이에 "나는 민주당 사람들하고는 상종을 안 해요."라는 언짢은 목소리가 들렸다. 순간 찬물을 끼얹은 듯 분위기는 냉랭해졌다. 어떻게 상황을 수습하기는 했는데 차를 마시는 내내 바늘방석에 앉은 기분이었다.

또 한 번은 동네 헬스장에서 같이 운동하던 회원들과 모여서 점심을 먹었다. 각자 하는 일을 소개하며 이야기를 나누는 중에 나도 간단히 자기소개를 했다. 그런데 명함을 받던 한 분이 "이때까지 민주당 사람하고 동석한 적이 없는데……."라는 이야기를 꺼냈다. 그러자 서너 명의 회원이 "나도!" "나도!"라며 맞장구를 치는 것이었다. 같은 어려움을 반복해서 겪을 수는 없었다.

"지금까지 그러셨을지 몰라도 앞으로는 인사도 하고 친하게 지내봅시다. 당에 대한 철학은 다르더라도 용산구 발전에 대해서는 같은 생각을 하고 있을지도 모르잖아요."

웃으며 대화를 이어가자 분위기는 여전히 화기애애하게 흘러갔다. 속으로 '사람이 비슷한 일을 여러 번 겪으니 융통성이 생기는구나.' 하며 안도의 한숨을 내쉬었다.

선거를 앞두고 4년 내내 그리고 지금까지 나의 생활은 그야말로 '용산 친화적'이었다.

아침에 일어나면 바로 씻고 새벽기도에 나간다. 내가 다니는 교회뿐 아니라 용산에 있는 작은 교회들도 두루 다닌다. 목사님 설교 말씀을 듣고 주민들과 인사도 나눈다. 6시 새벽기도가 끝나면 동네 목욕탕에 갔다. 가면 늘 오던 어르신들을 만나 인사를 한다. 가끔은 집으로 바로 안 가고 동네 분식집에 가서 라면을 먹는다. 라면은 내가 좋아하는 음식이라 언제 먹어도 질리지 않는다. 그렇게 출근 전 시간을 마무리한다.

주일에는 조기축구회도 가고 탁구나 배드민턴과 족구 동호회에 가서 인사도 드린다. 다니다 보면 꼭 "거기서 보고 여기서 또 보네."라며 반가움을 전하는 지역 수민들을 만나게 된다. 형·동생 하는 분들과는 지역 민원에 관해, 정당의 정책에 관해 이야기를 나눈다. 다들 얼굴을 먼저 익히고 정치에 대해서는 뒤에 이야기를 나누게 된 사이인지라 설사 지지하는 당이 같지 않아도 반감이 크지는 않다.

생활이 이렇게 되니 가끔 듣는 말이 있다.

"당신 우리 동네 살았어?"

너무 자주 보고 아무 데서나 만나게 되니 한 번쯤 물어보는 것이다. 개인적으로 이런 이야기를 들을 때마다 '그래 열심히도 다녔구나.' 하며 뿌듯한 생각이 든다. 스스로에게 "잘했어." 하며 칭찬을 할 수 있는 기회다.

몇 년 전부터는 내가 주민들을 찾아만 다닐 것이 아니라 주민들이 나를 찾아오게 하는 방법을 고민해보자는 생각으로 소모임을 만들어 운영하고 있다. 첫 번째가 남산 둘레길 걷기 모임이다. 남산의 둘레길은 서울 도심에서는 보기 드문 명소다. 한적한데다 사계절 풍경이 좋아 멀리서도 찾아온다. 가까이 있으면 매일 가고 싶은 곳이다. 주기적으로 용산 구민들과 만나 걸으며 세상 사는 이야기를 나눈다. 두 번째는 영화 소모임이다. 나는 〈건축학개론〉을 보면서 '도시계획'을 고민하는 이상한 영화광이다. 영화를 보고 각자 다른 소감을 듣는 것도 매우 좋아한다. 시간이 맞는 용산 구민들과 영화 소모임을 만들어 보자고 하니 흔쾌히 나서는 이가 꽤 있었다. 코로나19로 두 모임 다 지금은 휴점 상태이지만 앞으로도 꾸준히 주민들과 소통하는 곳으로 이끌어갈 계획이다.

# 세상에 좋은 쓰임을 받는 사람이 되고 싶다

선거를 준비하는 4년 동안 나는 몇 개의 직장을 다녔다. 당의 대변인 역시 월급이 지급되지 않는 정무직이라 생계가 막막한 때도 없지 않았다. 다행스럽게도 내 깜냥으로 할 만한 일들에 추천되어 필요한 자리에서 일할 수 있었다. 지금도 감사하게 생각하는 부분이다.

가장 처음에 했던 일은 용산구청장의 6급 비서 업무였다. 약 1년 반 동안 별정직으로 용산구청장의 대외 활동을 지원하는 일을 했다. 구청장이 가서 이야기를 들어야 할 곳에 파견되어 이야기를 듣고 행정 절차에 반영하는 업무였다. 그때도 항상 메모했다. 민원을 들을 때는 세세히 의견을 담기 위해, 구청장에게 보고하고 담당 공무원을 만날 때는 '민원인에게 전할 답변'을 확실히 정리하기 위해 메모를 했다.

그 과정에서 행정 업무의 진행 과정을 직접 경험하기도 했다. 일반인들의 시각에 공무원들의 업무처리는 자칫 관료주의로 비칠 수 있다. 실제 행정 업무를 추진해보면 결재 라인도 많고 재검에 삼검까지 단계가 상당하다. 국민의 세금을 허투루 쓰지 않으려고 노력하는 것이다. 어느 부분에서는 개선의 여지도 있다. 하지만 안에서 직접 경험해보면 '그래서 그렇구나.' 하고 이해가 되는 부분도 있다. 담당 공무원들과 소통하면 실행 단계에서 고충이 상당하다는 것도 알 수 있다. 주민들은 민원 사항이 단순하다고 생각할 수 있다. 하지만 공무원 입장에서는 관련 지침이 있지는 않은지, 규정 위반이 되는 부분은 없는지 사전 점검을 해야 한다.

일례로 아이들의 통학 안전을 위해 육교를 만들자는 민원이 들어오면 진행까지 1년 이상 걸리는 경우가 흔하다. 예산을 배정하는 것부터 실제 육교가 세워지면 무슨 문제는 없는지 꼼꼼히 살펴야 한다. 한 번은 육교가 인근 아파트의 3~4층 높이와 비슷해서 주거권을 침해할 수 있었다. 주민의견 수렴 때문에 6개월 정도가 더 지체되기도 했다. 이런 일들을 직접 겪으니 행정 절차에 대한 이해가 넓어졌다. 더불어 행정상의 개선점에 대해서도 좀 더 진지하게 고민해 볼 수 있었다.

다음 직업은 LH 비상임 이사였다. LH는 전부터 꼭 한번 일을 해보고 싶었던 곳이다. 어느 도시든 주택 문제는 꼭 해결해야 할 과제로 남아 있다. 2021년 기준 용산만 해도 한남 2~5구역, 효창 4~5구역 등 뉴타운이 약 30만 평 규모이고 이촌동 등 아파트 재건축 사업이 18곳이며 해방촌, 서울역, 용산전자상가 등 도시재생이 필요한 공간이 다수 포진해 있다. 이전부터 주거 문제를 고민하고 해결하는 방법에 대해 심도 있게 고민해보고 싶었다. 비상임직이지만 LH에 직접 가서 전문가들의 의견을 듣고 해결점을 찾는 데 도움을 받을 수 있을 것 같았다.

실제 LH에서의 경험은 지금까지도 큰 도움이 됐다. 주택이 건설되기까지 토지 매입부터 준공까지 전 과정을 직접 살펴볼 수 있었다. 그 과정에서 나타나는 여러 문제와 해결 과정을 들여다볼 기회였다. 그때 알게 된 다양한 지식과 도시계획에 대한 영감들은 서울시의원이 되어 도시계획관리위원으로 활동할 때와 연세대학교 공학대학원에서 도시공학 과정을 공부할 때 큰 도움이 되었다.

그렇게 일을 하며 다가올 선거를 준비하던 중에 내게도 일이 생겼다. 어머니가 치매에 걸려 형님이 댁에서 모신 지 몇 년이 지난 후였다. 누님이 사정이 생겨 어머니를 모시기 어렵겠다는 연락을 해왔다. 형님도 이미 칠순을 넘긴 나이였다. 나이 든 노모를 게다가 치매까지 걸린 노인을 돌보기는 어렵다는 것을 누구라도 이해할 수 있었다. 그러나 나는 선뜻 "요양원에 모십시다." 소리가 나오지 않았다. 그렇다고 다른 대안이 있었던 것도 아니다. 아내도 일하고 나도 바깥일이 많아 집에 모실 형편이 되지 않았다. 며칠간 속을 끙끙 앓았다. 그리다 최선이 아니면 차선이라도 선택해야겠다는 마음을 먹었다.

"그러면 어머니 우리 집 근처에 모십시다. 그리고 우리가 돌아가면서 하루씩 들여다봅시다. 그럼 어머니도 적적하지 않고 우리도 어머니 자주 보고 좋지 않겠습니까?"

나는 형제들에게 어머니를 용산 우리 집 근처 요양원에 모시고 싶다고 말했다. 형제들은 선뜻 내 뜻을 따라주었다. 일주일에 하루씩을 맡아서 어머니의 수발을 들기로 했다. 7남매라 가능한 일이었다. 다섯 남매가 월화수목금을 각각 맡았다. 집이 가까운 나는 주말도 맡았다. 셋째 누님과 여동생이 미국에 가 있으니 그 몫까지 하기로 했다. 그렇게 주말마다 요양원으로 출근을 한 지 2년이 되던 해에 어머니는 하나님의 부름을 받으셨다. 2017년 여름이었다.

순천향병원에서 장례가 치러졌다. 나는 장례 기간 내내 거의 잠을 자지 못했다. 정말 많은 분이 조화를 보내주셨고 또 방문도 해주셨다. 당직자로 오래 알고 지낸 인연들부터 용산구청에서 얼굴을 익힌 분들과 민주당에서 당직자로 함께 했던 분들까지 위로의 말을 해주었다. 친척들 모두 "조문객이 이리 많이 모인 장례식은 처음 본다."라며 "착하게 살다 가신 어머니의 복"이라고 했다. 그 말씀이 무척 감사했다.

발인을 마치고 인사 차 다시 형제들이 모였다. 장례를 치른 얼굴에 피곤이 가득했다. 그즈음 나도 졸음이 쏟아졌다. 어머니를 여읜 것도 잊고 그저 잠을 자고 싶다는 생각만 했다.

그런데 불쑥 형제들은 내게 봉투 하나를 내밀었다.

"어머니가 가시면서 식래한테 선물 하나 주고 싶으셨던 같다."

봉투에는 상당한 금액이 들어 있었다. 들어온 부의금에서 장례

비용을 제하고 남은 거의 전부였다. 형제들은 "다음 선거 때 요긴하게 써라." 하고 별스러운 인사도 없이 자리에서 일어섰다.

그날 밤 집에 돌아와 한참을 울었다. 조문객들도 형제들도 없는 집에 홀로 앉으니 비로소 어머니가 돌아가셨다는 것이 실감이 났다. 그리고 그제야 변변한 효도 여행 한 번 보내드리지 못했다는 생각에 마음이 저려 왔다. 번번이 선거에서 미끄러지느라 어머니를 업고 동네 한 바퀴를 도는 일도 해보지 못했다. 형제들에게도 이제껏 제 앞가림 하나 못하고 있는 것 같아 미안함이 밀려왔다. 나는 돌아가신 어머니가 그립고 못난 자신이 야속해 꺼이꺼이 눈물을 쏟았다.

"죄송하고 고맙습니다, 어머니. 선하게 살겠습니다. 그리고 꼭 세상에 쓰임 받는 사람이 되겠습니다."

어머니의 사진을 보며 마음을 다잡고 또 다잡았다.

# 서울 시민의 삶을 더 좋게
# 변화시킬 것이다

2018년 6월 4일 제7회 동시지방선거가 열렸다.

어머니가 돌아가시고 근 1년이 흘렀다. 지금 생각해도 어떻게 시간이 지나갔는지 기억이 잘 나지 않을 만큼 빠르게 시간이 흘러갔다.

개인적으로 의미가 깊은 또 하나의 사건은 문재인 후보의 대통령 당선이었다. 문재인 대통령과는 제18대 대통령 선거 당시 부대변인으로 함께했던 인연이 있다. 제19대 대통령 선거를 거쳐 어엿한 대한민국의 대통령이 되었으니 개인적으로도 감회가 새로웠다. 특히 갖은 고생을 하며 전국 유세장을 돌던 기억이 떠올라 눈시울이 붉어지기도 했다.

문재인 대통령은 후보 시절에 나의 선거사무소 개소식에 맞춰 추천 영상을 챙겨 보내주기도 했다. 주변의 응원은 누구에게나 큰

문재인 (전)대통령 후보의 인사말

문재인 대통령은 후보 시절에 나의 선거사무소 개소식에 맞춰 추천 영상을 챙겨 보내주시기도 했다.

힘이 된다. 나는 문재인 대통령이 보내준 영상을 몇 번이나 돌려보며 승리의 의지를 다졌다.

"우리 동네 시의원, 구의원은 지역공동체를 가장 가까이서 대변하는 사람입니다. 그래서 우리 동네를 가장 잘 아는 사람, 지역 주민과 함께 울고 웃을 줄 아는 사람 또 지역 현안을 자기 일처럼 생각하는 그런 사람이어야 합니다.

제가 그런 사람을 한 분 추천하고 싶은데요. 바로 노식래 부대변인입니다. 그간 보여주신 능력과 열정 너무 잘 알기 때문에 서울시민의 마음이 모여서 꼭 이기고 돌아오실 거라고 굳게 믿습니다. 서울 시민의 삶을 변화시킬 노식래 부대변인 힘내십시오. 파이팅"

4월 1일부터 예비후보자 등록이 이루어졌다. 5월 24일과 25일에는 후보자등록이 진행됐다. 30일 선거벽보를 제출하고 5월 31일 선거기간이 개시됐다. 6월 12일까지 선거운동이 진행되고 13일 선거가 치러졌다.

약 2주간의 선거운동 기간은 후보자에게 가장 바쁠 시기인데 나의 경우는 4년간 해오던 스케줄에서 크게 달라지지 않았다. 새벽 기도를 다녀와 오전에 출근하는 용산 구민들에게 명함을 돌리며 '출근길 유세'만 추가됐다. 오후에는 지역에 유세를 다녀야 했지만 매일 다니다시피 한 곳들이어서 친숙하고 편안했다. 어디를 가나 꼭 아는 사람들이 있었고 지지와 응원의 메시지도 많이 들었다. 오랜 기간 공들여 다져놓은 풀뿌리 조직원들이 있어 든든했다.

물론 피곤하고 어려운 일이 전혀 없는 것은 아니었다. 선거운동을 하며 명함을 돌릴 때 "어디 민주당 사람이 나한테 명함을 줘!"라며 받은 명함을 바닥에 버리고 가는 어르신도 있었다. 같은 일도 여러 번 당하면 단련이 된다고 한다. 하지만 어르신들의 면박에는 내성이 생기지 않았다. 노련한 정치인답게 다시 웃으며 선거운동을 하려고 스스로는 무진 애를 썼다.

당시 나의 주요 공약은 한남역에 에스컬레이터 설치, 고도제한 완화, 주거권 확보 등이었다. 한남역은 1980년에 개통돼 낡았는데 좁은 골목길 끝에 있다. 출구도 단 1개뿐으로 순천향대학교 서울병원 방면이 다다. 역에 에스컬레이터나 엘리베이터가 없어 여간 불편하지 않다. 노약자의 교통권 확보를 위해서도 재정비가 필요했다. 고도제한은 대부분의 땅이 남산 아래인 용산구의 발전을 저해하는 요소이다. 원활한 주택 정비 사업을 위해 필요한 조치로 생각됐다. 주거권 확보는 여러 가지 의미가 있다. 용산은 고급 주거지와 쪽방촌이 공존하는데다 재건축이 반드시 필요한 오래된 아파트도 상당수 자리잡고 있다. 이를 조속히 추진하도록 도울 계획이었다. 그 밖에도 시의원이 되면 하고 싶은 일과 해야 할 일이 많았다. 자세히 알리고 상세히 알릴 수 있도록 선거 운동원들과 노력을 많이 했다.

6월 13일 개표가 시작됐다. 다음날 발표된 선거 결과는 2만 7,770표, 61.55퍼센트로 당선 확정이었다. 압도적 표 차에 많이 놀랐다. 지방선거의 경우 지역이 작을수록 유권자 수가 많지 않다. 서울시의원 선거의 경우 1,000표, 2,000표로 당락이 결정된다. 그런데 용산구 제2선거구의 경우 1만 1,000표 차이로 승리가 결정됐다. 개인적으로는 4년 전 선거보다 4,574표를 더 얻은 것이었다. '다른 당에서 민주당으로, 다른 후보에서 노식래로 마음을 바꿔준 사람이 4,574명이나 된다'는 사실을 상기하며 크게 감격했다.

언론에서는 "20년 이상 민주당에 기회를 주지 않던 용산 구민들이 '이번에는 한 번 지켜보겠다'는 마음으로 노식래에게 표를 주었다."라는 기사를 게재했다. 한편 기쁘면서도 한편 무거운 책임감이 느껴졌다.

# 가족들은 언제나 삶의
# 그루터기가 되어주었다

선거를 마치고 가장 먼저 한 일은 당선사례를 거는 일이었다. 지난 선거와 달리 당선사례 현수막을 준비하자고 운동원을 재촉했고 현수막을 거는 일도 직접 거들었다. 김진택 선배님, 이금주 회장님, 김수천 회장님, 김용혁, 이다영, 김인숙, 최영자 후배님이 동행해 주었다. 이들을 포함해 많은 분에게 감사하다는 인사를 하고 다녔다.

"믿고 기회를 준 용산구민 여러분, 열심히 하는 모습을 보여드리겠습니다."

딱 내 마음의 표현이었다. 이후로 한동안 손을 보탰던 사람들과 따뜻한 밥 한 끼로 회포를 풀고 이야기를 많이 나누었다. 역시나 시간이 어찌 가는지 모르게 쏜살같이 지나갔다.

그런데 6개월 정도 시간이 지났을까. 문득 '지금껏 미루어왔던 일을 이번에는 꼭 해야겠구나.' 하는 마음이 들었다. 바로 베트남에 있는 친구 고상구 한인회장에게 전화를 걸어 '신년 여행'을 계획했다. 고 회장과는 젊은 시절 한국청년회의소에서 만나 오랜 인연을 쌓아온 사이이다. 그는 베트남 전역에 한국식품 유통업체인 'K-마켓'을 130개 넘게 운영하고 있다. 한상 기업 최초로 베트남 100대 기업에 이름을 올린 자랑스러운 친구이기도 하다. 덕분에 낯선 베트남으로의 여행이 전혀 어렵지 않게 느껴졌다.

선거를 마친 시기는 초여름이었으니 반년 계획을 미리 잡은 것이었다. 비행기 표를 끊고 장모님께 전화하는 아내의 얼굴에는 웃음꽃이 피었다.

"엄마, 노 서방이 엄마 비행기 태워준다고 해요. 우리 같이 여행 가요."

2020년 9월에 케이블방송에서 진행하는 〈메이드인 서울〉 프로그램에 출연한 적이 있다. 진행자는 "정계 진출에 대해 가족들의 반응은 어땠냐?"는 질문을 했는데 "늘 집에 들어갈 때 비밀번호가 바뀌지 않았는가를 확인한다."라는 대답을 했다. '정계 진출보다 힘든 우리 집 진출'이라는 자막이 달렸다. 사실 이 말은 모든 정치인에게 공통으로 적용된다고 생각한다. 가족에게만큼은 어떤 정치인도 죄인일 수밖에 없다.

아내는 천성이 부끄럼이 많고 순박한 사람이다. 남들 앞에 나서서 이야기를 하는 것도 좋아하지 않는다. 나의 뜻을 잘 따라주고 바가지도 긁지 않는다. 그래서 가끔은 속없이 참고만 있는 게 아닌가 걱정이 되기도 한다.

첫 번째 시의원 선거 전에 있었던 일이다. 바람이 차가워지던 날 아내와 함께 세브란스병원을 찾았다. 지역 의원에서 했던 정기검진에서 망울이 보인다는 소견을 받은 후였다. 특별히 통증이나 이상 증상은 없었다. 그러나 의사는 빨리 병원에 가서 정밀 검사를 받으라고 재촉했다. 함께 찾은 세브란스병원 유방 외과에서 아내는 암 진단을 받았다. 그날 나는 몹시 충격을 받았다. 의사는 "정기검진에서 발견됐으니 운이 좋으신 것"이라며 아내와 나를 위로했다. 초기라 암세포가 전이되지 않은 것이 다행이라고도 했다. 그러나 내게는 별다른 위로가 되지 않았다.

'희륜이가 갓 중학생이 되었는데……. 아내 없이 나와 딸아이는 어찌 세상을 살아갈까?'

불현듯 딸아이의 초등학교 1학년 가을 운동회가 떠올랐다.

아내는 중고등학교 때 수영을 했다고 한다. 덕분인지 딸아이도 달리기를 제법 했다. 반대표로 달리기 대회에 나간다고 했다. 아내는 "희륜이가 달리면 엄마도 같이 뛰어야겠네."라며 학부모 대표로 달리기 대회에 신청서를 냈다. 사실 나는 신청서를 보고도 믿지 않았다. 나서는 것을 좋아하지 않는 내성적인 성격의 아내가 전체 학부모들이 모두 지켜보는 달리기 대회에 나간다니……. 운동회날 아내는 정말 학부모 대표로 달리기 대회에 나갔다. 나는 속으로 '역시 어머니는 위대하구나.' 탄성을 했다. 아내는 열심히 뛰었고 끝에 가서 딸아이를 번쩍 안아 올렸다.

나는 그렇게 사랑과 희생으로 우리 가정을 지켜온 아내가 없는 삶을 상상할 수가 없었다. 수술 날짜는 생각했던 것보다 빨리 잡혔다. 그리고 항암 치료가 이어졌다. 아내는 참 열심히도 병원에 다녔다. 그리고 5년이 지나서 완치 판정까지 받았다. 요즘도 나는 병마가 다시는 아내를 찾아오지 않기를 매일 기도한다.

그런데 아이러니하게도 그때까지 나는 아내의 소원 하나 제대로 들어주지 못한 못난 남편이었다. 아내는 평소 돈을 많이 벌어오라거나 좋은 옷을 사달라거나 하다못해 좋은 음식을 먹고 싶다는 이야기도 하지 않았다. 반농담처럼 "선거운동만큼은 하고 싶지 않아요."라고 말했다. 생각해보면 그게 아내의 유일한 소원이었다. 아내로서는 모르는 사람들에게 인사하고 남편을 찍어달라고 호소하는 것이 너무도 힘들고 어려운 일이었다. 아내는 그중에서도 유세차 타기는 정말 사양하고 싶다고 말했다. 그러나 나는 그런 아내를 8년 동안 두 번이나 유세 현장으로 데려와야 했다.

"딱 2주간만 당신이랑 다닐 거예요. 더 하라면 나 정말 도망갈 거예요."

나는 유세장에 나오고 유세차에도 오르는 아내에게 늘 미안했고 고마웠다.

〈메이드인 서울〉 프로그램의 진행자는 말미에 "그럼 가족들에게 영상 편지 한 번 쓰시죠."라며 시간을 내주었다. 불현듯 지난날이 떠올라 눈시울이 붉어졌고 정말 카메라가 있는 것도 잊은 채 눈물을 쏟고 말았다. 양복 주머니에서 손수건을 꺼내 한참을 닦았다. 가끔 아내가 유튜브에서 당시 영상을 찾아보곤 한다. 그때마다 나

2015년 항암 치료 중이었던 아내와 함께, 아내는 항암 치료로 머리카락이 모두 빠졌지만 가발을 쓰고 다니며 전혀 아픈 티를 내지 않았다.

는 주방이나 화장실로 숨기 바쁘다.

2018년 초여름에 바라던 서울시의원회관으로 출근을 시작하고 6개월이 정말 눈 깜짝할 사이에 흘러갔다. 운영위원회와 도시계획관리위원에서 활동하며 바쁜 일정을 소화했다.

2019년 1월 1일이 기다리던 가족여행의 날이 밝았다. 아내나 나나 송구영신 예배는 중요하게 생각하는 터라 2018년 12월 31일 밤부터 2019년 1월 1일 새벽에 걸쳐 2번의 예배를 드렸다. 몇 시간 눈을 붙이지 못했지만 장모님을 모시고 들뜬 마음으로 공항으로 달려갔다. 베트남까지 가는 동안 나부터 설레고 신이 났다.

당직자 생활을 마치고 선거에 뛰어들면서 가족여행은 남의 나라 일처럼 돼버렸다. 그간 못 해주었던 것들을 떠올려보니 저절로 좋은 남편과 아빠가 되어야겠다는 결심이 들었다. 나는 아내와 함께 장모님을 모시고 좋은 것을 먹고 좋은 것을 보러 다녔다. 딸아이에게도 그간의 미안함을 만회하고 싶어 열심히 말을 걸었다. 정말 열심히 좋은 추억을 쌓겠다고 분주하게 다녔다.

그런데 지금 와 생각해보면 그날의 여행이 욕심만큼 즐거웠는지, 아니면 장모님 보시기에 시늉만 하다가 만 것인지 잘 모르겠다. 장모님을 뵐 때마다 인사를 듣는 것이 여간 무안하다. 가끔 아내로부터 "베트남에 한 번 더 갔다 올까?"라는 이야기를 들을 때에야 '중간 이상은 되었나 보다.'라고 지레짐작할 뿐이다.

요즘은 온 식구가 바쁘다. 아내는 어린이집으로 출근하고 딸아이도 졸업을 앞두고 인턴 생활을 하느라 새벽밥을 먹고 출근한다.

코로나19로 언제 다시 장모님을 모시고 해외여행을 갈 수 있을지 기약할 수 없다. 그래서 지난 주말에는 가족들과 시골에 계신 장모님을 뵈러 갔다. 장모님은 시장에서 형형색색의 고쟁이 한 벌을 사드렸을 뿐인데 환하게 웃으셨다. 장모님이 웃으니 아내도 따라 웃고 딸아이도 따라 웃고 나도 따라 웃었다.

"여보 고마워."

아내의 인사에 내가 더 미안하고 고마울 뿐이다.

가족에 대해 혹자는 '어깨에 날개를 달아주는 사람'이라고 한다. 재능을 펼칠 수 있게 한껏 힘이 돼주기 때문이다. 분명 틀리지 않은 표현이다. 하지만 나는 '그루터기가 되어준 사람'이라는 표현을 더 좋아한다. 내가 힘들고 어려울 때 쉬어갈 수 있게 항상 자리를 마련해주었기 때문이다. 이들 덕분에 '시의원'이라는 어렵고 무거운 자리도 부끄럽지 않게 해낼 수 있었다.

2장

# 용산을 서울의
# 중심으로 만들겠습니다

# 서울시의원으로서
# 세 가지 다짐을 하다

"나는 법령을 준수하고 시민의 권리 신장과 복리 증진 및 시정 발전을 위해 의원의 직무를 양심에 따라 성실히 수행할 것을 시민 앞에 엄숙히 선서합니다."

2018년 7월 11일 '제10대 서울특별시의회'가 개원했다. 서울시 의원 110명이 한목소리로 선언문을 낭독했다.

다음날에는 동작구 국립현충원을 찾아 순국선열과 호국영령의 뜻을 기리며 참배의 시간을 가졌다. 제10대 의장인 신원철 의원은 '빛나는 자리보다 빛이 필요한 자리를 찾아가는 10대 서울시의회 가 되도록 노력하겠다.'라는 방명록을 남겼다. 내게도 인상 깊은 문 구였다.

위원회 구성이 되고 바쁜 일정을 보냈다. 그리고 한 달여 만에 기다리고 기다리던 첫 월급을 받았다.

물론 월급이라고 해도 통장에 숫자로만 찍혔다. 약간은 섭섭했다. 그러나 곧 감개무량한 마음이 되었다. 손으로 월급봉투를 만지며 스스로의 노고를 위로하고 다음 한 달을 기약하는 시간을 가질 수 없어도 괜찮았다. 통장의 숫자를 보는 것만으로도 마냥 좋았다.

월급을 받은 것이 한두 번도 아니고 한두 해도 아니었다. 하지만 내게 그 월급은 특별한 의미가 있었다. 선출직 시의원으로 처음 받는 월급이었다. 온전히 국민에게 봉사하라며 국민의 세금으로 주는 월급이었다. 모니터를 켜두고 나는 의원실 책상에 앉아 A4 용지 한 장을 꺼냈다.

'의원으로서 해야 할 세 가지 다짐'이라는 제목을 쓰고 아래 내용을 채우기 시작했다.

## 첫째, 해외 주요 도시를 답사한다

의회에 들어오기 전부터 나는 '도시계획관리위원회'에서 일을 하고 싶다는 욕심이 있었다. 용산구를 대표하는 의원으로서 꼭 필요한 일이기도 했다. 도시를 잘 알기 위해서는 선진 도시의 모습을 꼭 보아야만 했다. 그중에서도 도시재생에 성공한 사례는 주 관심사였다. 1년에 2~3회 정도는 해외 주요 도시를 찾아 도시의 모습, 운영 체계, 이색적인 건축물과 기반시설을 직접 보고 오리라 다짐했다.

둘째, 대학원에 진학한다

대학원 진학은 서울시의원이 되기 전부터 '필요하면 꼭 하리라.' 마음먹었던 일 중 하나다. 나는 정치인도 전문 분야가 1~2개는 있어야 한다는 이야기를 오래 들었다. 나의 경우 도시계획을 전문 분야로 선택한 만큼 추가적인 공부가 필요했다. 주경야독의 시간을 다시 보낼 준비를 했다.

셋째, 지역 주민과 정기적으로 만난다

시정 업무가 바쁘다 보니 점심과 저녁 식사 시간을 이용하는 것이 가장 좋았다. 지하철역으로 시청에서 용산까지 세 정거장밖에 되지 않으므로 마음만 먹으면 하루에 2번씩 오가는 것도 가능했다. 밥값과 찻값 정도는 여유 있게 준비해두자는 생각에 구체적인 금액도 뽑아 보았다.

목록을 적고 월급에서 얼마나 사용할 수 있을까 가늠해 보았다. 30~40퍼센트면 될 줄 알았는데 매월 절반 가까이는 따로 떼놔야 가능했다. 빠듯한 살림에 한숨이 나왔으나 별도리가 없었다.

'월급에는 내가 밥을 먹고 생활할 수 있는 돈도 들어 있겠지만, 또 시의원으로 시민들과 만나서 소통하고 의정 활동을 잘하기 위해 써야 하는 돈도 있다. 4년 동안 계획한 일들을 위해 열심히 쓰자!'

계획한 비용을 제하고 아내에게 생활비를 이체했다.

그날 귀가하며 집 현관의 비밀번호를 누를 때 살짝 겁이 났지만 무사히 안방까지 들어갈 수 있었다. 이야기를 들은 아내는 "공부는 정말 평생 할 모양이에요."라고 한마디했다. 하지만 거기까지였다. 내무부 장관의 결재가 생각보다 쉽게 떨어졌다.

한 번은 의원회관에서 외부 손님을 배웅하러 1층까지 동행한 적이 있다. 1층에 비치된 안내판을 본 손님은 꼭대기 층에 있는 체력단련실을 발견하고 좋은 직장이라고 평했다. 그리고 물었다.

"의원님은 시의원 복지 중에 뭐가 제일 좋으세요?"

짧은 순간이었지만 곰곰이 생각해 보았다.

"의원이 되면 실비보험을 들어줘요. 그게 좋아요. 돈의 많고 적음과는 별개로 큰 의미가 있지요."

우선 나는 실비보험이 없었다. 흔히 내 나이쯤 되면 주변의 부탁 때문에 보험을 몇 개씩 갖고 있게 마련이다. 그런데 나는 그렇지 못했다. 3번의 선거를 치르며 갖고 있던 보험을 모두 해약했다. 금액의 많고 적음과 별개로 꼭 필요한 것이었다. 그래서 감사했다.

다음으로 시민들의 세금으로 유지되는 실비보험은 내게 남다른 의미가 있었다. 보험이란 불상사를 대비하는 것이다. 설사 불의의 사고가 일어나더라도 큰 피해는 막아보자는 제도이다. 나는 서울시에서 시의원들에게 실비보험을 들어주는 이유는 "안전장치는 우리가 마련해줄 테니 열심히 일하세요."라는 의미가 담겨 있다고 생각한다. 어찌 열심히 일하지 않을 수 있겠는가!

이런 의미로 매월 월급날이 되면 나는 의원실에서 홀로 외쳐본다.

"이번 달도 열심히 쓰겠습니다!"

# 말의 무거움을 깨닫고
# 꼭 지키려 한다

얼굴을 자주 볼수록 들을 이야기도 할 이야기도 많아진다. 무조건 많이 만나는 게 최선이다

우리 집이 있는 용산과 서울시 의원회관이 있는 시청역은 가까운 거리다. 지하철이나 버스를 이용해도 편하다. 외부 일정이 많은 날은 어쩔 수 없이 자가용으로 출근을 한다. 이런 날은 나는 이동 시간보다 10분에서 15분 정도 일찍 나온다. 순찰차가 동네 한 바퀴를 돌 듯 골목길을 이리저리 돌아다닌다. 부지런한 사장님들은 벌써 나와 가게 앞을 치운다. 정육점, 쌀집, 밥집, 찻집 사장님들 얼굴을 보고 가볍게 인사를 한다. 이렇게 지역 소상공인들과 하루를 함께 시작하는 날은 더 없이 기분이 좋다. 시간도 공간도 함께하고 있다는 동질감 때문이다.

시의원이 된 초기에는 이렇게 인사를 하고 나면 "밥 한번 먹어요

형님!"이라거나 "시간 날 때 차 한 잔 마셔요." 같은 인사를 자주 했다. 이런 식의 인사는 나의 오랜 습관이기도 하다. 당직자로 생활하거나 부대변인으로 있을 때 기자들과 오래 만났다. 그들 사이의 인사라는 것이 이런 식이었다. 실제로 밥을 먹거나 술을 마시는 일도 다반사였으므로 특별히 날을 잡지 않아도 어느 자리에서든 자연스럽게 어울릴 수 있었다. 누구도 내게 "그래시 인제 밥 한번 먹을 건대?"라고 묻지 않았다.

그런데 시의원이 되고 전화 한 통을 받았다.

"이 사람아, 자네는 밥 먹자고 하고 아직 연락이 없나?"

각종 행사에서 얼굴을 몇 번 보았던 지역 주민으로부터 걸려 온 전화였다. 처음에는 당황했으나, 계속 이야기를 들으니 상대가 아쉽고 서운한 마음에 전화한 것임을 알 수 있었다.

내가 몇 번이나 "다음에 식사 한번 같이 하세요."라고 이야기를 했으니 전화할 줄 알았던 것이다. 내심 언제 연락이 올지 기다리다 '혹시 잊었는가?' 하는 마음에 먼저 전화를 건 상황이었다. 나는 속으로 '아차!' 하는 마음이 들었다.

"형님, 죄송해요. 제가 그동안 일이 좀 바빴습니다. 당장 오늘 점심 어떠세요? 제가 기원으로 찾아가겠습니다."

전화를 끊은 후에 나는 오랜 습관을 고쳐야겠다는 결심을 했다.

나는 후보 시절부터 구민들과 만나는 자리에서 '설렁탕 소통'에 대해 이야기를 많이 했다.

"최소한 의원이 되면 지역 주민과 설렁탕 한 그릇씩은 먹고 소통해야 하는 거 아니겠습니까?"

지역 주민과 수시로 소통하고 직접 민원을 해결하는 시의원이 되겠다는 다짐이었다. 이런 사정을 아는 이라면 더더욱 "밥 한번 먹자"는 얘기에 "언제쯤 연락이 오려나?" 기대를 할 수밖에 없었을 것이다. 별생각 없이 혹은 인사치레로 "밥 한번 먹자." 하는 말은 더 이상 해서는 안 되는 말이었던 것이다.

'그동안 큰 결례를 했구나. 이제 나는 시의원이었다. 당직자나 부대변인이 아니고 후보자도 아니다. 뱉은 말은 무엇이든 책임을 져야 하는 사람이다'

그날 집에 돌아온 나는 후보자 시절부터 밥이나 차를 마시자고 했던 사람들의 얼굴을 한 명씩 떠올려 명단을 작성했다. 이름과 연락처를 적고 차례차례 메신저나 전화로 식사 약속이나 차 약속을 잡아 나갔다. 그들 모두에게 설렁탕 한 그릇 혹은 차 한 잔을 대접하기까지 근 몇 달이 걸렸다. 그래도 모든 대접을 마쳤을 땐 약속을 지켰다는 뿌듯한 마음이 일었다.

이제 나는 절대로 빈말로 혹은 체면치레를 위해 기약 없는 약속을 하지 않는다. 스케줄도 꼼꼼히 적는다. 핸드폰과 수첩 두 곳에 일정을 적고 크로스로 체크한다. 핸드폰에는 주로 의정 활동을 적고 수첩에는 주로 식사 약속을 적는다. 이중으로 약속이 잡히지 않도록 자주 들여다보며 일정을 마음에 새긴다. 만약을 위해 약속을 잡는 날짜도 기한을 정해두었다. 아무리 늦어도 2주 안에 실천할 수 있는 약속만 잡는다. 2주 이후의 약속은 깨지기 쉽기 때문이다.

더 중요한 일에 밀리기도 한다. 되도록 잡은 약속의 취소가 없도록 '2주 이내 약속만'을 잡으려고 한다.

여러모로 시의원이 되고 '말의 무거움'을 많이 느낀다. 늦고 더디지만 비로소 어른이 되어가는 기분이다.

# 창조도시를 만드는
# 설계도가 필요하다

　도시계획관리위원회는 서울의 도시계획과 주택정책, 재개발·재건축 등 각종 정비 사업과 도시재생 사업, 기타 국제교류복합지구, 신경제중심지 등 권역별 주요 시책 사업을 다루는 등 서울의 도시개발 전반을 계획·관리하면서 시민의 삶과 재산권에 직간접적 영향을 미치는 중요 상임위원회이다. 내가 꼭 하고 싶은 위원회여서 임기 내내 도시계획관리위원회에서만 활동했다. 2020년 9월 10대 의회의 후반기부터는 부위원장으로 전문성을 발휘하고 있다.

　박원순 전 서울시장 시절 서울의 도시계획 화두는 단연 '도시재생'이었다. 과거 산업화 시절의 서울은 산업도시로서의 면모를 보였다. 재개발과 신도시 건설이 끊임없이 이어졌다. 그러나 산업화가 어느 정도 마무리된 요즘은 단순히 부수고 짓는 데서 그치지 않는다. 낡은 도시를 다시 숨쉬게 하는 도심 재생과 골목길 재생으로

'창조도시'로 변모하고자 한다.

창조도시의 설계는 용산에도 필요한 주제이다. 용산은 하나의 지역으로 묶여는 있지만 동마다 색깔이 다 다르다. 일례로 용산역 근처 전자상가는 전자제품 판매 몰이 사양 산업이 되면서 쇠퇴의 길을 걷고 있다. 새로운 산업을 유치하거나 주거 공간으로의 변화 등을 모색하는 도시계획이 필요하다. 해방촌은 상권이 많이 줄기는 했지만 골목길 문화가 남아 있다. 골목길 문화를 잘 살려 상권을 되살리는 지역 살리기 운동이 필요하다.

용산에는 오래된 주거환경도 많다. 낡은 주택과 오래된 아파트는 주거 공간으로서의 안정성과 쾌적성이 심각하게 손상되었다. 재개발과 재건축은 피할 수 없다. 그러나 일률적으로 성냥갑 아파트를 지으면 도시의 생명력은 크게 손상될 수 있다. 주거환경을 개선하면서도 고유의 정서를 지키는 밸런스를 잘 갖춰야 한다. 보존과 존치의 가치가 있는 것들을 살리는 것도 주요한 고민거리이다. 이러한 구상을 하고 있으면 노시계획관리위원회에서 일을 해야겠다는 생각이 저절로 든다. 많은 전문가의 의견을 듣고 나 역시도 목소리를 내야 하기 때문이다.

나는 도시계획관리위원으로 행정사무감사를 할 때 꼼꼼하게 지적하고 확실하게 답변을 듣는 식으로 일을 했다. 도시계획은 그 영향이 시민 한두 명에게만 미치는 것이 아니요, 10년 20년 만에 효과가 사라지는 정책도 아니다. 행정가들에게도 무게감을 느끼고 전문성을 발휘해달라고 요청했다.

2021년 10월 해방촌 신흥시장 환경개선공사 추진 현황 보고회장에서. 용산은 하나의 지역으로 묶여는 있지만 동마다 색깔이 다 다르다. 일례로 용산역 근처 전자상가는 전자제품 판매 몰이 사양 산업이 되면서 쇠퇴의 길을 걷고 있다. 새로운 산업을 유치하거나 주거 공간으로의 변화 등을 모색하는 도시계획이 필요하다.

도시계획관리위원으로 일을 하면서 가장 경계하는 것은 탁상행정이라는 소리를 듣는 것이다. 재개발이나 재건축은 도시계획관리위원회 소속 위원들이 심의에 참여한다. 심의가 떨어져야 단계별로 사업이 진행된다. 심의 과정에서는 적법한 서류를 갖추었는가를 가장 우선으로 본다. 서류가 제대로 갖춰졌는가에서 벌써 불가 판정을 받는 경우도 흔하다. 자칫 탁상행정으로 흐를 수 있다.

현실을 놓고 보면 재개발이나 재건축을 진행하는 조합은 민간 조합장이 주축이 되어 사업을 진행하는 곳이다. 경험이 부족하면 전문적인 자료를 갖추기가 어렵다. 이러한 결과로 행정기관에 제

2021년 10월 해방촌 신흥시장 환경개선사업 현장 점검 현장. 서울시 공무원, SH공사, 시공업체가 함께했다. 도시계획관리위원으로 일을 하면서 가장 경계하는 것은 탁상행정이라는 소리를 듣는 것이다.

출하는 서류도 부실하기 십상이다. 이럴 때 심의위원들은 행정 절차대로 '보류 결정'을 내고 이후에 재심의를 신청하라고 한다. 그게 규정이고 법이다.

그러나 나는 이러한 결정은 일반 시민들에게 피해를 줄 수 있다고 생각한다. 실제로 보류 결정에 의해 정비사업이 늦춰지면 해당 지역에 주택을 가진 주민들은 심각한 경제적 타격을 입는다. 해당 지역 인근에 살거나 생업에 종사하는 주민들도 공사가 지연되면서 불편한 일이 한둘이 아니다. 미관상 좋지 않고 통행 환경도 나빠져 민원까지 발생한다.

나는 정비사업을 진행하는 분들이 찾아오면 되도록이면 '사전검토'를 충분히 받으라고 조언한다. 행정 절차를 모르고 전문가를 찾아가기 어렵다면 시나 구청 해당 부서를 찾아 직접 물어보라고 권한다. 그도 어렵다면 나와 같은 시의원을 찾아와 도움을 요청해도 된다. 해당 과에 연계해 도움을 받을 곳을 안내해 줄 수 있다. 사후약방문 식으로 결정 이후에 수습하기보다는 앞서서 많은 준비를 하는 것이 여러모로 낫다.

또 하나. 그럼에도 서류상 문제로 보완점들이 많이 보이면 가급적 '보류'보다는 '보완' 결정을 한 후에 재심의를 받도록 편의를 도모한다. 보통 민간에서 하는 사업이든 관에서 하는 사업이든 행정 업무에서 허들이 걸리면 3개월 시간이 뚝딱 지나가버린다. 그럴 때 앞서 열거한 대로 시민들에게 피해가 돌아간다. 이를 예방하는 차원에서 가급적 다시 한번의 기회를 주는 쪽으로 결정한다.

이런 식의 판단을 하게 된 것은 직접 정비사업을 진행하는 많은 이들을 만나보고 그들의 고충을 들었기 때문이다. 나는 공무원들에게도 되도록 현장에 많이 나가보라는 조언을 한다. 이는 행정에서뿐만 아니다. 어떤 문제든 단순히 규정이나 관행에 근거할 것이 아니라 현장에서 가장 합리적인 방향으로 판단을 내려야 한다. 공익을 우선하되 개인의 희생을 강요하지 않는 것도 중요하다고 생각한다.

# 공부는 스스로를 돕는
# 최선의 방법이다

공부할 기회가 많은 것은 정말 하나님의 뜻이라고밖에 생각되지 않는다. 나는 시의원으로 출근을 하자마자 또 일을 저질렀다.

"하늘은 스스로 돕는 자를 돕는다고 하잖아. 그런데 이제 스스로도 좀 도와야 하지 않겠어. 공부야말로 스스로를 도울 수 있는 최선의 방법이라고."

나는 우리 집 내무부 장관의 허가를 받아 연세대학교 공학대학원에 입학했다. 도시공학을 전공하는 대학원생이 되어 또 원 없이 공부하게 된 것이다

흔히 도시공학은 국립이나 시립대학의 전문성이 높다고 알려져 있다. 해당 공무원들도 대학원 진학은 국립이나 시립을 선호한다. 그러나 나는 대학원 역시 통학 거리를 주요하게 따졌다. 거리가 멀어지면 아무래도 출석 수업이 부담스러워질 수밖에 없다. 가까운

연세대학교 공학대학원 도시계획 전공 친구들

곳을 선택해 성실히 다니기로 했다. 입학 서류를 제출할 때 '도시를 어떻게 계획할 것인가?'라는 주제로 학업계획서도 작성했는데 다행히 합격이 되었다.

지난 학기에는 '도시공학 세미나'를 인상 깊게 들었고 과제를 쓰는 중에 '해방촌의 도로 개선'이라는 주제로 리포트도 썼다. 해방촌은 차도와 도로가 구분되지 않은 곳이 많아 매우 복잡하다. 이를 어떻게 도시공학적으로 개선할 것인가에 대한 내용이었다. 주민 의견도 청취하고 친한 공무원들의 의견도 들어가며 재밌게 작업을 마쳤다. 덕분에 장학금도 받았다.

도시공학을 공부하며 많은 것을 배웠다. 교수님에게서도 배우고 동기들에게서도 배우지만 책에서도 많이 배웠다. 홍익대학교 유현준 교수의 『도시는 무엇으로 사는가?』, 건축가이자 도시사회학자인 김정후 박사의 『런던에서 만난 도시의 미래』, 서울시립대 정석 교수의 『도시의 발견』, 하버드대학교 에드워드 글레이저Edward Glazer 교수의 『도시의 승리』, 연세대학교 모종린 교수의 『골목길 자본론』 같은 책들을 펼치고 있노라면 '내가 대학원에 들어오지 않았다면 이런 책들을 찾아보기나 했을까?'라는 생각이 든다. 바쁜 일정을 핑계로 처음부터 끝까지 다 읽은 책이 드물고 앞부분에 열심히 밑줄을 긋다가도 중간쯤 가면 흐지부지되기 일쑤지만 배운 것이 전혀 없지 않다.

한국 사람들은 흔히 도시는 번잡하고 소란스럽고 공해가 많은 곳으로 생각하고 시골은 맑고 깨끗하고 여유롭다고 생각한다. 심

지어 18세기 프랑스 계몽 사상가인 장 자크 루소Jean Jacques Rousseau
는 "도시는 인간종人間種이 모여 사는 깊은 구렁이다."라는 말로 도
시를 좋지 않은 곳으로 묘사했다. 그러나 이는 오래된 선입견이다.
도시를 설계하는 사람은 '실제 도시는 어떠한가?'를 곰곰이 따져보
고 장점은 살리고 단점은 해소해야 한다.

　도시에서는 인재들과의 교류와 협력이 가능하고 학습과 청취가
가능하고 문화와 예술을 누리는 것이 가능하다. 도시는 인류를 가
장 밝게 빛나게 만들어주는 모든 곳이라고 호평하는 사람들도 많
다. 게다가 우리 인간들의 가장 큰 특징이자 장점인 '배움'을 도시
만큼 잘 활용할 수 있는 곳도 없다. 도시공학이란 이러한 도시의
이점들을 공학적으로 발전시키기 위한 학문이다. 그간 도시의 단
점으로 여겨졌던 매연 소음 등의 환경 문제와 타인과의 관계에서
오는 각종 문제 등은 과학기술의 발전, 협업, 그리고 공동체의 기
준들로 해결해나갈 수 있다. 거기에 건축공학이라는 종합예술을
접목하면 더 살기 좋은 도시를 충분히 만들 수 있다. 결론적으로
인간은 도시에서 더 인간답게 살 수 있다.

　'현재 우리가 사는 서울은 어떠한가?'

　여러 단점이 있지만 모두가 살고 싶어 하는 곳이다. 그리고 모두
가 원하는 데는 반드시 이유가 있다. 앞서 열거한 도시의 장점 중
상당수가 서울에 해당한다. 단점도 대부분 극복됐다. 서울이야말
로 세계가 인정할 멋진 도시임이 틀림없다.

　도시를 공부하며 나는 더욱 도시의 매력에 빠져들었다. 도시지

리, 도시공학, 스마트 모빌리티 등 전공 시간에 배우는 내용이 그대로 내 삶의 터전에서 벌어지고 있으니 공부와 삶이 분리되지 않는 수준이다. 최근에는 10대 시절 방학 중에 잠깐 서울에 들렀을 때 느꼈던 '설렘과 기대'가 다시 살아나는 것 같았다.

도시공학을 전공하면서 좋은 것 중 또 하나는 배운 것들을 바로 현장에 적용해볼 수 있다는 점이다. 도시계획관리위원회에서는 기간마다 여러 개의 운영 방향을 정하는 데 전반기 운영 방향 중 하나는 "다양한 재생사업이 원활히 추진될 수 있도록 다각적인 지원 방안(예산편성 및 행정지원 등)을 마련함으로써 정부 정책을 선도해 나가겠다."라는 것이었다.

개인적으로 골목길 꾸미기나 중고등학교 도서관 리모델링 등을 지원하는 사업을 발굴했고 위원회 차원에서 의견을 청취하고 사업을 추진하는 과정은 매우 즐겁고 신나는 일이었다. 도시재생사업은 서울시민 그리고 지역민들의 삶에 직접적인 영향을 미치는 일이기에 그 의미가 조금 더 특별하다. 사업 결과를 현장에서 바로 확인할 수 있고 평가와 의견 청취도 가능하다.

"타인이 하는 일을 비판한다는 것은 쉬운 일이다. 그러나 자신이 어떤 식으로 책임을 지고 현실을 개혁할 것인가 하는 등 국민이 이해할 수 있는 정책을 제시한다는 것은 어려운 일이다."

김대중 대통령이 살아생전에 쓰신 〈행동하는 양심으로〉의 한 대목이다. 김 대통령 역시 실행력을 갖고 추진할 수 있는 정책의 생산을 중요하게 여기셨으리라 짐작된다.

좋은 정책을 생산하기 위해 그에 앞서 전문성을 키우기 위해 요즘도 나는 라쿠라쿠 침대를 자주 이용한다. 의원실 책상에 시정 질의 내용과 전공 서적을 쌓아 놓고 라쿠라쿠 침대에 누워 닥치는 대로 읽어나간다. 그렇게 한 밤을 새우고 나면 머릿속이 가득 찬 느낌이다. 행정사무감사 질의 내용부터 더 살기 좋은 도시를 만들기 위한 정책들까지 책상 위 내용이 머릿속으로 옮겨간 깃 같다. 그때가 가장 행복하다. 온전히 쓰임 받고 있다고 느끼기 때문이다. 이런 행복감을 원 없이 느끼기 위해 만학도인 나는 오늘도 공부 중이다.

# 우리가 사는 곳을
# 더 좋은 곳으로 만들자

2018년 10월 18일 이태원 지하차도 진입로(녹사평역 2번 출구 앞)
에서 충돌사고가 일어났다. 택시가 충격흡수 시설에 충돌한 사고였
다. 소방재난본부에서 신고를 받고 구급차를 응급출동시켰다. 다행
히 운전사와 승객 모두 안전하게 하차한 후 간단한 응급조치만 받
고 귀가했다. 크게 다친 사람이 없어 다행이었다. 그런데 이 사건을
계기로 나는 시의회 블로그에 또 한 번 얼굴을 올리게 됐다.

전에 이태원 지하차도 진입로는 사고가 나기 쉬운 구조다. 직진
차선이 여러 개인데 오른편으로 가면 지상으로 가고 왼편으로 가
면 지하차도로 들어간다. 빠르게 달리다 보면 직진 차선과 지하차
도 진입로를 구별하기가 쉽지 않다. 사이에 가름막이 있으나 눈에
띄지 않았던 것이다. 그러다 보니 자칫 늦게 차선 변경을 시도하다
가는 가름막을 들이받기 쉽다.

나는 사고의 위험이 크다고 판단하고 서부도로사업소에 교명주를 식별할 수 있는 표식과 충돌에 대비한 시설물을 설치해줄 것을 요청했다. 그리고 몇 주 후 시선유도봉과 충격흡수 시설이 추가로 설치된 것을 확인했다.

그런데 약 한 달 뒤 택시가 새로 설치한 충격흡수 시설에 충돌하는 사고가 일어난 것이다. 이전에 설치한 시선유도봉과 충격흡수 시설 덕분에 큰 부상은 없었던 것으로 확인됐다. 사건을 접한 경찰서 교통계에서도 충격흡수 시설이 설치되어 있지 않았다면 인명사고로 이어질 수 있는 아찔한 상황이었다고 했다. 사고를 통해 '사전에 미리 알고 대비하는 것'이 얼마나 중요한지 다시금 깨닫게 됐다. 그리고 이 에피소드는 '선견지명으로 인명사고 막았다'는 제목으로 서울시의회 블로그 '가슴 훈훈한 이야기' 게시판에 공개되었다.

"몰랐다면 태만했던 것이고 알고도 방치했다면 사악한 것이다."

가끔 번거로워서 그냥 지나치고 싶은 마음이 들 때마다 떠올리는 문구이다. 어디서 처음 접하게 된 글인지 도통 기억이 나지 않는다. 그러나 때때로 머리와 가슴을 두드리는 문구이다. 공공을 위해 일하는 사람이 되고부터는 몇 번씩 되새기며 태만하거나 사악한 사람이 되지 않으려고 노력한다.

경관을 꾸미는 일이야 시민의 안전과 직결되는 경우는 아니다. 하지만 도로의 시설물과 안전장치는 시시때때로 살피고 점검을 한다. 현실적으로 도로관리를 하는 담당자들도 매일 한 곳만 지켜보고 선 것이 아니기 때문에 문제가 발생해도 즉시 수리하거나 교체

하기는 쉽지 않다. 사실 여기서부터는 나뿐만 아니라 시민들의 신고 의식이 중요하다. 누가 됐든 발견한 사람이 신고해서 교정을 요청하면 불의의 사고는 얼마든지 예방할 수 있다.

사실 나는 구나 시에 일거리를 자주 알려주는 시민이기도 하다. 맨홀 뚜껑의 홈이 깨져 있다거나, 도로와 인도의 경계석이 이탈돼 있다거나, 공공 게시물의 고정물이 떨어져 위험해 보이거나, 하다못해 공공 플래카드에 오탈자가 보여도 다산콜센터나 구청에 직접 전화를 한다. 굳이 시의원임을 밝힐 필요는 없다. 문제가 되는 부분을 알리면 접수가 되고 조치 후 결과도 알려준다. 우리나라의 민원 시스템이 얼마나 우수한지 알 수 있다.

이 밖에도 나는 필요한 부분은 앞서서 민원을 제기하고 스스로 해결하고자 한다. 우리 주변에는 어려운 게 있어도 나서서 목소리를 내지 못하는 이들이 많이 있다. 당장 사는 데 바쁜 이들에게는 민원을 접수하는 것조차 시간을 뺏기고 에너지를 뺏기는 일이 될 수밖에 없다. 이런 분들을 위해 대리자인 정치인들이 필요하다.

코로나19로 나는 지역 상인들도 많이 만났다. 그중에는 노점상을 하는 분들도 있다. 특히 이태원에는 노점상들이 많다. 시민들은 노점상은 세금도 안 내고 장사를 한다고 생각하지만 그렇지 않다. 노점상들도 도로 점유료를 낸다. 그런데 모두가 알고 있듯이 코로나19로 상인들의 수입이 많이 줄었다. 민간에서는 '착한 임대료' 캠페인을 벌이며 임대료 깎아주기 운동을 한다. 나는 공공의 영역에서도 그런 노력이 필요하다고 생각했다. 그래서 서울시에 도로

비가 새지 않도록 돔을 입히고 악취가 나지 않도록 하수구를 정비하는 신흥시장 현대화 사업이 진행 중이다.

점유료를 낮춰달라고 요구했다. 그리고 이를 법적으로 뒷받침할 수 있는 조례 개정도 검토하고 진행 중이다. 서울시의회에서는 시의원들을 위해 법률 자문도 해주는데 나는 이것이 매우 좋은 제도라고 생각한다. 시의원들이 부족한 법률 지식을 보완해 조례 개정과 같은 자신의 일을 해나갈 수 있게 해주기 때문이다.

나는 공무원들에게도 "전문성을 갖추라."라는 잔소리를 많이 한다. 용산구에서 일할 때부터 지금까지 그러하다. 구청에서 일할 때는 갓 임용된 젊은 친구들도 많이 만났다. 2~3년씩 공부해서 공무원이 된 그들은 패기가 있고 열의가 있었다. 인생 선배라는 타이틀

이태원 2동 지역 주민에게 민원 사항을 전해듣고 있다.

로 "휴가 기간을 이용해 해외에 많이 다녀오라."라는 이야기를 많이 했다. 보도블록 하나만 놓고 보아도 모양도 기능도 천양지차다. 일반시민도 그렇고 공무원도 그렇고 전문 업체에서 가지고 오는 것만 보아서는 좋고 나쁨을 구별할 수 없다. 만일 해당 공무원이라면 선진 사례도 보고 구글링도 해가면서 배워야 한다. 그래야 시민들의 길을 더 편안하게 만들 수 있다. 배우는 방법 중에서 가장 좋은 것은 직접 가서 보는 것이다. 선진 사례를 직접 보고 깨치는 게 중요하다.

얼마 전에는 해방촌에 있는 신흥시장의 현대화 사업을 위해 공무원과 머리를 맞댔다. 예산 규모를 40억 원 정도로 키웠다. 기본

형태를 보전하면서 비가 새지 않게 돔을 입히고 하수구와 배수구도 다시 정비해 악취가 나지 않도록 하는 작업이 주요 내용이다. 과거 정부에서 이런 형태의 시장 현대화 지원을 많이 했다. 신흥시장은 규모가 일정 수준을 넘지 않아 제외됐다. 그러나 서민들의 사업장 개선과 생활 편의 시설 확충을 위해 꼭 필요한 사업이라 판단하고 지원하기로 했다.

의정 활동을 하면서 민원을 받는 경우도 많지만 스스로 찾아가서 문제를 해결하는 경우가 더 많다. 개인적으로는 그 과정에서 보람을 많이 느낀다. 플래카드가 교체되고, 경계석이 정비되고, 맨홀 뚜껑의 이가 맞아가는 것을 직접 확인하면서 작은 희열을 느낀다. 그래서 혹여 누구라도 '이게 왜 이렇게밖에 안 되나?' 싶은 부분을 보게 되거든 직접 다산콜센터 120에 수정을 요청해보기를 추천한다. '우리가 사는 곳을 더 좋은 곳으로 만드는' 기쁨을 느끼게 될 것이다.

# 불가능을 가능으로
# 바꾸어나가야 한다

시의원에 당선되고 얼마 안 됐을 때 일이다. 모처럼 식구끼리 둘러 저녁밥을 먹을 것을 기대하며 일찍 퇴근했을 때이다. 현관문을 열고 들어가니 딸아이가 "내가 창피해서 솔직하게 말을 다 못했잖아……." 하는 소리가 들렸다. 무슨 사연인가 싶어 인기척을 냈더니 아내는 반색하고 딸아이는 어색한 미소를 짓는다. "재미난 이야기 나도 좀 들어보자."며 대화에 껴서 한참을 있자니 내 얼굴에도 웃음기가 사라졌다.

딸아이의 사연은 이러했다. 모처럼 친구들과 놀다가 이른 저녁시간에 한남역에 내려 집으로 걸어오게 됐다. 그런데 할머니 한 분이 짐을 들고 계셔서 그걸 받아 들어드렸다고 한다. 한남역의 가파른 계단을 열심히 올라온 할머니는 "어린 학생이 참 예의도 바르네." 하고 칭찬을 하신 후 툭 하고 본마음을 뱉으셨다고 한다.

"완전 배신이야 배신. 아, 글쎄 어느 시의원이 선거에 나와서는 자기가 당선되면 틀림없이 에스컬레이터를 설치해 준다고 했는데 감감무소식이야. 완전 배신을 했다고!"

딸아이는 "그 시의원이 저희 아버지세요" 이야기를 할까 말까 잠깐 고민을 하다가 인사만 하고 집으로 돌아왔다고 한다. 사연을 다 듣고 난 나는 딸아이만큼이나 난감한 표정이 되었다.

어르신이 말씀이 틀린 이야기가 아니다. 나는 2018년 선거에 나가서 "한남역은 낡고 오래된 역사로 현대화가 시급합니다. 노약자들의 교통권을 보장하기 위해 에스컬레이터를 반드시 설치하겠습니다." 목소리를 높였다. 그때는 정말 하고 싶었고 마음만 먹으면 될 줄 알았다. 그러나 막상 시의원이 되고 관계부처에 질의를 해보니 생각보다 에스컬레이터 설치가 쉽지 않았다. 한 번은 하도 속이 타 철도시설공단에 근무하는 고향 후배에게 연락해 한남역에 에스컬레이터를 설치하려면 어떻게 해야 하는지를 문의했다. 며칠 후 연락을 준 후배의 답변은 "불가능합니다."였다. "올라오는 계단 일부를 부수고 에스컬레이터를 설치해야 하는데 현재 한남역의 출구는 한 개뿐이고 거기도 폭이 너무 좁아 설치가 어렵습니다."라는 부연 설명을 해주었다. 역사 자체가 오래됐고 당시 기준으로 좁고 가파른 출입구를 설치했으므로 현대에 와서 개보수하려 해도 어려움이 많았다. 나는 불가 판정을 받아들이지 못하고 계속 이 궁리 저 궁리를 해댔다. 그러다 지인들에게 하소연하면 "그러게. 다들 원하는데 안 되는 데는 이유가 있다니까."라는 답답한 추임새만 넣었다. 나에게 "제대로 알아보지도 않고 공약을 남발한 정치인"이라는 비판을 하기도 했다. 그 와중에 딸아이에게 할머니의 이야기를 들으니 속이 부글부글 끓었다.

'한 번 하겠다고 했으니 뭐라도 꾸준히 해보는 수밖에 없다.'

할머니 이야기에 잔뜩 기운을 받은 나는 일단 여론에 많이 알리는 것으로 다시 시작해보자 했다. 내가 곡괭이를 들고 가 땅을 파고 에스컬레이터 설치를 할 수는 없으니 할 수 있는 사람들을 설득해 방법을 찾도록 해야 했다. 언론은 힘이 세다. 언론이 기사를 써서 여론이 형성되면 관계부처에서도 허투루 듣지만은 않을 거라는 계산이었다.

2018년 가을부터 나는 아는 기자들을 만나 한남역 문제를 이야기했다. "한남역의 노인인구 이용 비율이 높은데 보행약자인 어르신들에 대한 배려가 필요하다." "계단도 가파르고 높아 어르신들이 이용하기에 어려움이 많다. 또 유모차를 이용하는 시민들과 어르신 등 교통약자를 위해 에스컬레이터를 설치해 이들의 안전한 보행이 이루어질 수 있도록 해야 한다." 온라인 매체 〈뉴시스〉에서 해당 내용을 기사화해 주었다.

다음으로 힘(?) 있는 사람들을 만나 적극적으로 어필을 했다. 2018년 11월 제284회 정례회 시정 질문 자리였다. 박원순 시장에게 "지하철 한남역 관리 주체가 코레일이지만 서울시와 교통공사 협의를 통해 에스컬레이터와 엘리베이터를 설치해 고령화가 심각한 용산구 거주 노인 분들을 배려해줄 수 없으십니까?"라고 질의를 했다. 박원순 시장은 "협의를 통해 조치를 해보겠습니다."라는 긍정적 답변을 주었다.

나는 혹여 시 단위에서 안 된다면 국가 차원에서 방법을 찾아야 한다는 생각에 다음에는 진영 행정자치부 장관을 찾아갔다. 진영 장관은 용산구민이기도 할 뿐더러 용산구를 지역구로 국회의원 활동도 했다. 한남역 이용자들의 어려움을 누구보다 잘 알고 있을 터였다. 진영 장관은 이야기를 듣고 철도시설공단에서 지원할 내용이 있는지 알아봐주겠다는 답변을 주었다.

그렇게 적극적으로 뛴 보람이 있었는지 2021년 늦은 여름 용산구 도로과로부터 한 장의 공문이 날아왔다. 제목은 '한남역 이동편의시설 설치계획 수립 건'이었다. 반가운 마음에 내용을 살펴보니 국가철도공단에서 실시설계용역과 공사 시행을 맡아 15인승 엘리베이터 설치 공사를 시작하게 됐다는 내용이다. 2022년 12월까지 공사가 마무리되면 한남역에 엘리베이터 2대가 가동될 예정이었다. 담당 공무원에게 문의하니 "여러 여건상 에스컬레이터 설치가 어려우므로 엘리베이터 설치로 우회하게 됐습니다."라는 설명을 해주었다. 전화를 끊으며 나는 "이제 배신자 정치인 소리는 안 들어도 되겠네."라며 묵은 한숨을 쉬었다.

덧붙여 이야기하면 모든 정치인은 '안 되는 걸 되게 하는 꿈'을 가지고 있다. 그러나 현실을 들여다보면 "안 되는 데는 다 이유가 있네."라는 푸념이 나올 때가 한두 번이 아니다. 때문에 잘 알아야 하고 공부해야 한다.

며칠 전에는 이태원2동 통친회에 다녀왔다. 통장들의 회의체로 지역의 현안에 관한 이야기로 분위기가 매우 뜨거웠다. 통장들은 "경리단길의 전선을 지중화해 주십시오." 이야기를 했다. 진즉부터 많은 국회의원이 전선지중화 사업을 약속했으면서도 이행하지 않았다며 불만을 토로했다. 나는 난감한 표정으로 상황을 설명할 수밖에 없었다.

"그렇지 않아도 저도 알아봤습니다. 그런데 공사가 쉽지 않습니다. 전선을 지중화하려면 도로 폭이 어느 정도 나와야 합니다. 그래야 도로를 파서 전선을 땅에 묻을 수 있습니다. 현재의 경리단길은 길이 좁아 그 조건에 충족하지 않는다고 합니다. 사업 진행이 어려운 점 양해를 부탁드립니다."

진즉부터 나 역시 시민들이 자주 찾는 경리단길에 전선들이 보기 안 좋아 관계부처에 질의를 했다. 가장 먼저는 전선지중화 사업을 하려면 한국전력에서 50퍼센트, 서울시에서 30퍼센트, 지자체인 구청에서 20퍼센트를 부담해야 한다는 회신을 받았다. 다음으로 경리단길의 전선지중화 사업을 문의하니 실측 결과 조건에 부합하지 않는다는 내용을 받았다. 회신을 받고 크게 실망스러웠다.

통친회를 마치고 나오는 길에 한 통장님이 "그럼 뭐 나라님이 와도 안 되는 거랍니까?" 하고 물었다. 순간 뒤통수를 한 대 맞은 것 같았다. 거기까지는 나도 생각해본 적이 없었던 것이다.

"정말 불가능할까?" 의원실로 돌아오며 고민을 계속해보았다. 시의원이 아니라 국회의원이라면, 국회의원이 아니라 행정부의 수반이라면 방법이 있지 않을까? "아마도 가능하지 않을까?"란 생각이 들었다. 실제 세상일이라는 게 꼭 하자고 하면 못할 것은 없다. 자격을 갖춘 인물이 문제의식을 느끼고 사업으로 추진하면 불가능은 없는 것이다. 중요한 것은 그 자격을 갖춘 인물이 누구냐인 것이다.

그날 밤 나는 "내가 시의원 수준에서만 고민하고 너무 쉽게 "할 수 없습니다."라고 답변한 것은 아닌가?" 반성해보았다. 그리고 최근에는 "내가 할 수 없다면 누가 할 수 있을까?"란 고민까지 하게 됐다. 주민들이 바라는 사업을 진행하기 위해 내게 어떤 자격이 필요한지 지금도 스스로에게 묻는 중이다.

# 글로벌 도시들에서
# 도시재생을 배우다

　코로나19가 전 세계를 덮치기 전이 그립다. 도시계획과 용산공원 조성 방향을 구상하는 데 해외의 도시들은 정말 좋은 스승이었다. 나는 2018년 시의원이 되고 팬데믹이 시작되기 전까지 5개국 12개 도시를 돌아다녔다. 짧게는 4박 5일에서 길게는 열흘 동안 대부분 도보로 도시를 누볐다. 몇 개월 월급을 모아 배낭 하나만 짊어지고 비행기에 몸을 실을 때의 설렘이 몹시 그립다.

　뉴욕에 다녀와서는 동료 의원들에게 배우고 느낀 것을 수시로 이야기했는데 "혼자만 듣기에 너무 아깝습니다."라는 평을 들었다. 그래서 찍어온 사진과 가서 썼던 글들을 정리해 보았다. 마침 해당 지역의 건축학과에 다니던 대학생이 찍어준 사진이 제법 있었다. 그렇게 정리해서 2019년 3월에 『뉴욕 도시재생 답사기』를 출간하게 됐다. 36쪽짜리 안내서이지만 직접 정리한 글과 사진 때문에 애

2018년 시의원이 되고 팬데믹이 시작되기 전까지 5개국 12개 도시를 돌아다녔다. 짧게는 4박 5일에서 길게는 열흘 동안 대부분 도보로 도시를 누볐다. 몇 개월 월급을 모아 배낭 하나만 짊어지고 비행기에 몸을 실을 때의 설렘이 몹시 그립다.

정이 많이 갔다. 짧은 지면에 담지 못한 이야기를 좀 더 풀어보고
자 한다.

처음 도시 답사를 다닐 때는 가까운 일본에 자주 갔다. 우리와
문화적 성격이 비슷하고 지역도 가깝다는 이유에서였다. 그러나
일본의 도쿄와 요코하마 등지를 돌아보고 "이것이 우리가 나아갈
모습인가?"라는 질문을 해보니 고개가 가로저어졌다. 그 후 미국과
유럽으로 답사 여행지를 바꾸었다.

처음 일본의 요코하마에 갔을 때는 선박장 옆에 대형 보세 창고
가 있어 큰 감명을 받았다. '베이사이드 아울렛'은 그야말로 어마
어마한 마켓이었다. 현지인들에게 물어보니 대중교통을 이용할 수
있고 바닷가 바로 옆이라 쇼핑과 산책이 동시에 가능해 자주 온다
고 했다. 반려동물 문화가 발달해서인지 '반려견 동반 루트'까지 상
세히 안내되어 있었다. 그 밖에도 베이사이드 아울렛은 인조잔디
나 어린이들을 위한 암벽 등반 시설까지 갖추어 사람들을 유혹했
다. 생각해 보니 '특색 있는 대형 마켓'에서 크게 벗어나지 않았다.
서울 그중에서도 용산에 이를 롤모델로 새로운 건물이나 시설을
짓는 것은 어려워 보였다.

일본은 우리가 잘 알고 있듯 '인구감소'가 사회적 화두인 국가
이다. 현재의 도시계획 정책도 이를 해결하는 방안들로 짜여 있다.
물론 과거에는 그렇지 않았다. 성장기에는 인구 증가에 따른 도시
계획이 대부분이었다. 주택, 도로, 상하수도, 전기 등 기반 시설을
키워서 커가는 도시를 대비하는 식이었다. 그러나 인구감소로 이

러한 도시계획이 의미가 없어지자 일본은 인구감소를 겪는 곳들을 중심으로 '도시혁신'을 실천하기 시작했다. 주요 실천 과제는 '마을 만들기'였다. 이전의 재개발이나 신개발을 보전과 재생으로 전환하고 복지와 사회보장제도도 강화했다. 버블 붕괴 후 경제 위기 극복을 위한 '도시재생'을 강조했다. 그러나 이런 도시재생은 지방소멸과 같은 극단적인 인구감소를 해결하지는 못했다. 그러다 보니 2010년 이후에는 '도시창생', 즉 산업을 일으켜 일자리를 회복하고 사람이 마을, 사람, 일자리를 모두 살려낸다는 내용을 주요 정책으로 펼치고 있다.

그런데 내가 다녀본 도시들은 앞선 요코하마의 사례처럼 과거의 재생 단계에 머물러 있는 경우가 많았다. 온전한 도시창생의 모습은 찾아보기는 어려웠다. 일본의 마을과 거리가 깨끗하고 정돈이 잘된 것은 맞지만 장기간 불황이 계속되다 보니 산업화 시기의 활력은 찾아보기 어려웠다.

이러한 분석을 하고 나니 자연스럽게 유럽이나 미국을 둘러봐야겠다는 욕심이 생겼다. 나는 굳이 안정과 활기 둘 중 하나를 선택하라면 '활기'를 선택하는 편이다. 개인적으로도 안정적인 일본의 분위기보다 활기 넘치는 뉴욕이 더 매력적으로 와 닿았기도 했다.

뉴욕은 일전에도 가본 적이 있다. 뉴욕한인협회의 이경로 회장과도 친분이 두터워 이런저런 이야기도 많이 들었다. 그래서 준비가 좀 더 수월할 줄 알았다. 그런데 막상 답사를 하러 가겠다고 하고 나니까 봐야 할 자료도 많았고 방문해야 할 장소도 많았다. 건

인천공항에서. 건축 기행을 나서는 모습

축을 전공한 지인의 도움으로 방문 포스트를 잡고 교통편과 숙박은 이경로 회장에게 문의해 도움을 받았다. 지인의 조언대로 컬럼비아 대학교에 다니는 한국인 유학생을 물색해 가이드 겸 통역도 부탁했다.

2019년 3월 예약한 대한항공 편으로 뉴욕으로 갔다. 뉴욕의 존 F 케네디 국제공항에는 이경로 한인회장이 마중을 나와주기로 했다. 나는 가는 14시간 동안 벼락치기 공부를 하는 학생처럼 자료를 살폈다. 일부러 비상구 앞을 선택해 자료를 펼칠 공간을 확보한 것이 큰 도움이 됐다. 먼저 지도를 꼼꼼히 보고 가서 직접 눈으로 확

뉴욕 맨해튼의 맥도널드 앞에서

인해야 할 것들을 적었다. 이동 동선을 살피고 시간도 배분해 보았다. 열흘이라고 해도 오가는 날을 빼면 일주일 동안 14곳을 돌아다녀야 했다. 관광객처럼 이것저것을 둘러보는 것이 아니기 때문에 꼼꼼하게 일정을 짜야 소화가 가능했다. 현장의 분위기를 잘 느끼기 위해 이동은 되도록 택시가 아닌 버스나 지하철을 이용하기로 했다.

  3월의 뉴욕은 우리나라와 비슷했다. 일요일 공항에서 시내로 들어오는 길은 제법 한산했다. 차로 마중을 나온 이경로 한인회장은 "눈이 많이 올 때도 있는데 오늘은 식래가 온다고 봄도 빨리 온 듯하네."라며 너스레를 떨었다. 그런데 그게 반쯤은 사실이었던 것 같다. 내내 날씨가 좋아 목도리만 두르고 점퍼도 없이 다닌 날도 많았다. 끈 달린 운동화에 노트북을 넣은 크로스백 하나로 뉴욕을 누볐다. 뉴욕의 맨해튼은 걷고 또 걷기에 안성맞춤인 도시였다. 잘 알려져 있듯 뉴욕은 현재 '문화가 살아 있는 곳'이다. 그러나 현재에 이르기까지 많은 이의 노력과 헌신이 필요했다. 뉴욕의 '도시재생 성공의 역사'는 내게 많은 것을 시사했다.

  19세기 후반부터 20세기 초반까지 뉴욕은 산업체와 공장이 많은 곳이었다. 그런데 점차 이들이 쇠퇴하면서 도시 내에 방치된 공간이 많아졌다. 탈산업화의 흐름에서 도시의 공간들은 낡고 버려졌다. 이들 공간을 다시 살린 가장 큰 동력은 '문화'였다. 버려진 곳들은 테마파크, 생태공원, 금융센터, 복합빌딩으로 용도가 변경되었다. 그렇게 뉴욕의 도시 공간이 재탄생했다. 20세기 초 뉴욕시는 뮤지엄, 도서관, 공공정원, 아트갤러리, 콘서트홀을 설립하면서 도심을 문화공간으로 탈바꿈시켰다. 뉴욕은 현재까지도 미국인뿐 아니라 전 세계인으로부터 사랑받는 첫 번째 도시가 되었다.

  맨해튼 그중에서도 센트럴파크와 구겐하임 뮤지엄은 내가 가장 먼저 가고자 했던 곳이다. 전에도 뉴욕에 와서 보았던 듯싶다. 출발 전 확인해보니 어느 자료에선가 자유의 여신상 앞에서 찍은 기념사진이 나왔다. 그런데도 나는 기억이 가물가물했다. 센트럴파크가 뉴욕에서 어떤 이미지를 갖고 있는지, 구겐하임 뮤지엄이 어떤 연유로 만들어졌는지 전혀 알지 못했다. 나는 재수생의 심정으로 그곳들을 둘러보았다.

나는 센트럴파크를 보면서 용산공원을 떠올렸다. 어떻게 하면 뉴욕의 심장이라 불리는 명소인 센트럴파크 같은 용산공원을 만들 수 있을까를 고민했다. 센트럴파크는 자연을 보전하기 위해 인공 시설을 최소한으로 하고 조경 건축술을 사용했다. 본연 그대로의 환경을 활용한 것이다. 관리비용의 75퍼센트를 모금 활동으로 충당하는 것은 매우 이색적이라고 생각됐는데 그만큼 센트럴파크가 뉴욕 시민들의 관심과 사랑을 받고 있다는 것을 실감했다. 이러한 자료 조사 끝에, 용산공원의 개발도 자연을 보전하고 시민들의 적극적인 참여를 끌어내는 형태로 진행돼야 한다고 생각했다.

구겐하임 뮤지엄은 1969년 문을 연 오래된 미술관으로 설계에서부터 완성까지 무려 16년의 시간이 걸렸다고 한다. 달팽이 모양의 외관, 탁 트인 천장, 나선형 구조의 전시관으로 시민들에게 사랑받고 있다. 오랜 기간 포기하지 않고 사업을 진행시킨 전문가들의 노고를 짐작할 수 있었다. 구겐하임 뮤지엄의 설립 과정을 살펴보면서 '타당성을 인정할 수 있는 사업을 책임감 있게 수행하는 것이 얼마나 중요한가'를 다시금 생각하게 됐다.

이 밖에도 루스벨트 아일랜드 트램웨이, 록펠러센터, 뉴욕공립도

뉴욕 맨해튼의 센트럴파크. 나는 센트럴파크를 보면서 용산공원을 떠올렸다. 어떻게 하면 뉴욕의 심장이라 불리는 명소인 센트럴파크 같은 용산공원을 만들 수 있을까를 고민했다.

서관 등을 돌아보는 3일 강행군이 이어졌다. 나는 이쯤이면 지원군이 필요하겠다는 생각으로 이경로 한인회장과 고향 선배인 이영철 형에게 연락했다. 수요일 저녁 호텔 근처 한식당에서 둘과 만났다.

빌바오의 구겐하임 미술관. 구겐하임 뮤지엄은 1969년 문을 연 오래된 미술관으로 설계에서부터 완성까지 무려 16년의 시간이 걸렸다고 한다. 달팽이 모양의 외관, 탁 트인 천장, 나선형 구조의 전시관으로 시민들에게 사랑을 받고 있다.

이경로 한인회장의 첫 마디는 "참 야속한 친구"였다. 오고 가고 연락을 할 법한데 3일이나 연락이 없다가 잊을 만하니 전화했다는 것이다. 말이 길어질까 "하도 돌아다녔더니 발에 물집이 잡혔습니다."라며 엄살을 피웠다. 실제 적은 비용으로 효율적으로 도시를 살펴보자니 걷고 걸으며 보고 또 보는 수밖에 없었다. 이경로 회장은 "맨해튼이 얼마나 넓은데 종일 여기저기를 어떻게 걸어 다녔어?" 하며 그 자리에서 '미련탱이'란 별명을 붙여주었다.

"무슨 과장이나 계장들이 할 일을 시의원이 직접 하는 거야?"

"알아야 지적도 하고 조언도 할 수 있습니다."

이런저런 이야기로 시간 가는 줄 몰랐다. 모처럼 한식으로 영양도 보충하고 오래된 인연과 즐거운 환담도 하니 기분이 좋아졌다. 그만큼 헤어짐은 어색한 것이 돼버렸다.

당시 이영철 형은 건강이 좋지 않았다. 뉴욕의 길거리에서 헤어지자니 '이것이 마지막인가.' 하는 생각까지 들어 마음이 울컥했다. 다행히 지금까지도 이영철 형의 건강관리가 잘돼 가끔 안부를 묻고 지낼 수 있게 됐다. 하지만 그때는 몇 년 후를 기약한다는 것이 부질없어 보였다. 나는 보도블록에 엎드려 큰절을 올렸다.

"항시 건강히 지내세요."

이영철 형도 눈시울을 붉히며 인사를 했다. 그렇게 지금은 추억이라고 말할 수 있는 뉴욕 건축 기행의 한 밤이 저물어갔다.

# 도시는 인간을 인간답게 만들어야 한다

　맨해튼은 약 87제곱킬로미터의 면적으로 용산구의 약 4배(22제곱킬로미터) 정도 크기이다. 그럼에도 서울만큼 인구 밀도가 높다. 허드슨강과 이스트강 사이의 섬으로 크게는 북쪽을 나타내는 업타운과 남쪽을 의미하는 다운타운으로 나뉜다. 다운타운은 다시 미드다운 맨해튼과 로어 맨해튼으로 나뉜다.

　이경로 회장과 이영철 형을 만난 다음 날은 맨해튼의 다운타운을 중심으로 도보 기행을 다녔다. 허드슨강의 바로 오른쪽에 붙어 있는 허드슨 야드 프로젝트Hudson Yard Project부터 휘트니뮤지엄Whitney Museum of American Art까지 이어지는 길을 따라가는 일정이었다. 하이라인 파크The Highline Park와 첼시마켓까지 4개 지점을 적극적으로 살폈다.

　더 하이라인은 허드슨강을 한눈에 내려다볼 수 있는 약 9미터

뉴욕 도시재생 답사에서 가장 인상 깊었던 곳은 첼시마켓이었다. 식재료 가게는 물론 빵집과 꽃집 등이 몰려 있어 매우 친숙하게 느껴졌다.

높이의 육교형 공간이다. 도심 속 빌딩 사이사이에서도 존재를 확인할 수 있다. 12.7킬로미터 구간에 공원이 잘 꾸며져 있다. 과거 더 하이라인은 맨해튼 웨스트사이드에서 운영하던 화물용 고가철도였다. 30년 넘게 방치되다가 시민단체의 적극적인 노력을 통해 현재의 휴식공간으로 재탄생했다고 한다. 불과 13년 전인 2009년의 일이다. 뉴욕시에서는 폐허가 된 철로를 걷어내는 계획까지 세웠으나 1999년 인근 하이라인 주민들의 반대에 부딪혀 무산됐다고 한다. 이후 주민들은 '하이라인 친구들'이란 비영리 단체까지 설립해 보전 운동에 나섰고 건축학자들과 시민들의 힘을 모아 현재

더 하이라인. 더 하이라인은 하인라인 파크로도 불리는 만큼 '인공과 자연의 조화'라는 콘셉트가 잘 드러나 있었다. 야생화가 빛을 발하는 산책로에는 쉬어갈 수 있게 벤치나 계단식 자리가 잘 마련돼 있었다.

의 보전 계획까지 마련했다고 한다. 이렇게 뉴욕시와 시민들은 합심해 철로에 남아 있는 모래와 흙과 자갈 등을 제거하고 허드슨강이 내려다보이는 정원을 꾸미고 산책로를 만들었다.

더 하이라인은 하인라인 파크로도 불리는 만큼 '인공과 자연의 조화'라는 콘셉트가 잘 드러나 있었다. 야생화가 빛을 발하는 산책로에는 쉬어갈 수 있게 벤치나 계단식 자리가 잘 마련돼 있었다. 주전부리를 파는 리어카도 있었는데 동양인도 더러 눈에 띄어 반가웠다. 빌딩 벽면을 차지한 인상적인 그림들을 감상하며 걷다 보니 1시간이 채 안 돼 첼시마켓이 도착할 수 있었다.

과거 첼시 지역은 원래 부둣가에 선적한 물건을 쌓아놓은 창고나 택시를 주차하는 차고가 가득한 곳이었다고 한다. 투박한 벽돌 건물 내부에 오래된 벽들과 육중한 기둥들이 가득하다. 그중에서 첼시마켓은 28개 폐공장을 묶어 외관은 유지하면서 내부 리모델링을 다시 해 실내형 식료품 마켓으로 탈바꿈했다. 28개 폐공장은 1890년대 아이들이 좋아하는 과자 '오레오'로 유명한 비스킷 회사 나비스코Nabisco에서 지은 곳이었다. 1958년 나비스코가 뉴저지로 공장을 이전한 뒤로 40년 가까이 폐허로 방치되었다. 그러다가 1990년대 뜻이 있는 개발업자가 이를 매입해 첼시마켓이라는 이름의 공간으로 재탄생시켰다. 식품업체가 많은 지역 특성과 건물의 역사를 하나의 스토리텔링으로 묶어낸 것이었다.

첼시마켓은 1996년 문을 연 이래 뉴욕의 재래시장으로 명성을 떨치고 있다. 식재료는 물론 빵과 꽃집 등이 몰려 있어 매우 친숙하게 느껴졌다. 버려진 송수관은 인공폭포가 되었고 공장을 관통하던 기차선로에는 멋진 조형물이 들어섰다. 개인적으로 쇼핑을 하면서 문화도 즐길 수 있어 더욱 매력적으로 다가왔다.

이렇듯 역사적으로 보면 뉴욕이 옷을 갈아입기 시작한 것은 최근 20~30년이다. 그럼에도 현재는 낡고 오래된 폐허의 느낌은 전혀 찾아볼 수 없다. 재탄생을 통해 새로운 경쟁력을 확보하고 있다는 것도 쉽게 확인할 수 있었다.

'도시란 어떠해야 하는가?'

사실 짧은 고민으로 답을 찾기는 어려울 수 있다. 그러나 나는

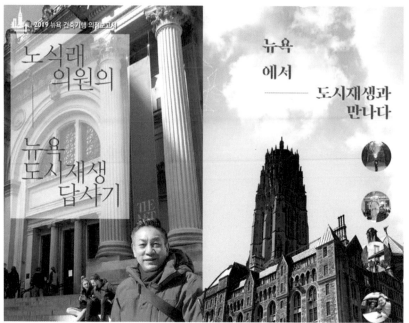

뉴욕에 갔다 와서 느낀 것들을 정리해『뉴욕 도시재생 답사기』를 출간했다.

뉴욕의 모습을 살펴보고 도시가 정체성을 갖고 생명력을 유지할 수 있도록 끊임없이 리뉴얼하는 과정이 필요하다고 생각했다. 그리고 그 과정에서 가장 중요한 것은 '시민들의 관심과 참여'이다. 전문가들에게만 의존해서는 안 된다. 살아본 사람이, 걸어본 사람이, 체험해본 사람이 가장 잘 알 수 있다. 원하는 모습이 무엇이고 그것이 어떻게 구현됐으면 하는 것을 시민이 이야기해 주어야 한다. 번득이는 아이디어가 아니어도 괜찮다. 대중의 현명함을 발휘할 수 있도록 의견을 내주는 것이 중요하다. 뉴욕 역시 그렇게 현재의 도시로 탄생했다.

선조들이 남산에 성곽을 쌓고 남대문을 만들었듯 우리의 도시재생도 세계적인 성공사례가 될 것이다.

「뉴욕 도시재생 답사기」의 끝을 다음과 같은 글로 갈무리했다.

'성공사례 뒤에는 늘 사람의 힘이 있다. 환경이나 여건은 부차적인 문제다. 뉴욕의 골목을 누비면서 뉴욕 시민들의 힘을 느꼈다. 아이디어를 내고 합의하는 과정과 사업 추진 중 제기된 난관을 극복하기 위한 노력이 눈에 선하다. 우리 삶의 터전은 격동의 현대사만큼이나 급격한 변화와 성장과 쇠퇴를 겪고 있다. 그에 따른 혼란과 갈등도 심하다. 시민들의 힘으로 하나하나 풀어나가야 한다. 우리 선조들이 남산에 성곽을 쌓고 남대문을 만들었듯 우리의 도시재생도 세계적인 성공사례가 될 것이다.'

나는 뉴욕을 둘러본 후에 필라델피아, 시카고, 워싱턴 등도 둘러보았다. 한 번에 못 가면 다음 비행기를 끊고 지역마다 유학생들을 찾아 도움을 구했다. 시민들을 만나 이런저런 이야기를 들으니 서울의 도시계획에 대해서도 어렴풋하게나마 감을 잡을 수 있었다.

앞으로도 기회가 된다면 영국의 런던과 더블린, 프랑스의 라데팡스, 독일의 베를린과 함부르크, 러시아의 모스크바와 상트페테르부르크까지 다양한 나라를 다니며 도시를 살피는 기행을 계속하고 싶다. 이를 바탕으로 서울을 최고의 도시로 만드는 데 힘을 보태고 싶다.

# 한미연합사 부지에
# '이건희 기증관'을 제안하다

　　2021년 11월 10일 서울시에서는 "고 이건희 회장이 국가에 기증한 문화재와 미술품을 보존하고 전시하기 위한 가칭 '이건희 기증관'을 서울 종로구 송현동에 설립하기로 했다."라는 발표를 했다. 일대를 공원으로 조성해 시민들을 위한 새로운 문화공간을 조성하겠다고 덧붙였다. 나로서는 '이건희 컬렉션'으로 불리는 문화재와 예술품들이 용산의 한미연합사에 유치되기를 바랐기에 다소 기운이 빠졌다.

　　20대 젊은 시절 친구들과 용산에 왔던 나는 높다란 담장을 보며 놀랐던 기억이 있다. 용산기지를 둘러싸고 3미터쯤 돼 보이는 높이의 담장이 처져 있었다. 당시 나는 도시 한복판에 그러한 담장이 있어야 할 이유를 몰랐다. 나중에 주한미군에 배속된 한국군인 카투사로 입대한 친구 유효상의 초대로 용산 미군기지에 들어가 볼

'이건희 컬렉션'으로 불리는 문화재와 예술품들이 용산의 한미연합사 기지에 유치되기를 바랐다. 그래서 문화체육부에 용산공원 국립근대미술관 건립 건의문을 제출했다.

기회가 있었는데 정읍 촌놈의 눈에는 그야말로 별천지처럼 비쳤다. 넓은 잔디밭에 2층짜리 시구식 건물 그리고 골프장까지 갖춰진 기지 내부는 영화에서만 보던 '미국의 모습' 그대로였다.

　나는 서울에 살기 시작하고 용산에 둥지를 틀었으면서도 특별히 미군기지에 관심을 기울이지 못했다. 처음 용산 미군기지에 제대로 된 관심을 기울이게 된 것은 당직자가 되고도 한참 후였다. 미군 관련 이슈가 터질 때마다 자료 조사를 하면서 용산으로 대표되는 우리나라의 아픈 현대사를 조금이나마 이해할 수 있었다. 용산은 한강을 끼고 있다는 지리적 이점이 강한 곳이다. 군사적으로도 전략적 요충지라 할 수 있다.

　용산은 일찍이 조선 시대 이전부터 조운선(漕運船 화물선)이 모이는 포구로 발전했다. 한강에서 활약하던 상인들의 본거지로 경제 활동도 활발했다. 그러나 근대에 들어서 외세의 침략이 시작되면서는 외국군의 주요 주둔지로 전락하고 말았다. 한강을 바로 접하고 남산과도 가까워서 고려 시대에는 몽골 침략군이 용산을 병참기지로 이용했다. 조선 시대에는 임진왜란 중에 일본군이 주둔했고 1882년 임오군란 이후에는 청나라 군대가 머물렀다. 이후 청일전쟁을 일으킨 일본군이 자리를 잡았다. 1908년부터는 일본군이 조선군사령부를 설립하고 대륙 침략의 본거지로 삼았다. 용산의 남영동이라는 지명도 조선군사령부 남쪽에 병영이 있어서 생겨난 이름이라고 한다.

　미군이 용산에 자리를 잡기 시작한 것은 광복 직후인 1945년 9월 미군 24사단이 용산에 기지를 세운 후부터이다. 미군은 1949년 철수했다가 6·25전쟁이 발발하자 1953년 8월 15일 다시 이곳에 복귀했다. 그때부터 용산 미군기지에는 1950년 창설된 유엔사령부, 1978년 창설된 한미연합사령부, 그리고 미8군 사령부가 자리를 잡았고 최근까지 '우리가 갈 수 없는 땅'이 되었다. 총 81만 평 부지의 용산기지는 메인 포스트Main Post와 사우스 포스트South Post로 나뉘었다. 메인 포스트에는 주한미군사령부, 8군사령부, 한미연합사령부가 있고 사우스포스트에는 주거시설, 학교, 병원 등이 있다.

　최근 다시 우리의 품으로 돌아온 용산기지가 처음 우리에게 반환이 합의된 것은 지금으로부터 약 30년 전인 1990년 6월이었다. 한국과 미국이 용산기지를 오산과 평택지역으로 이전하고 반환하기로 했다. 그러나 감당하기 힘든 과도한 이전 비용 때문에 이전은 더디게 진행됐다. 노무현 정부 들어 2002년 연합토지관리계획과 2004년 용산기지이전협정이 합의되고서야 본격적으로 추진되었다. 그럼에도 2008년까지 이전을 마무리하겠다던 애초의 계획은 점차 미루어져 2017년 7월이 되어서야 미8군 사령부가 경기도 평택시 캠프 험프리스로 이전했다. 그로써 용산기지 설비의 95퍼센트와 근무 인원의 92퍼센트가 평택으로 옮겨갔다. 2021년 11월 기준 용산기지에는 한미연합군사령부만 남아 있는데 2022년 상반기에는 평택으로 이전한다는 목표로 건설 작업을 진행하고 있다.

나는 용산에 사는 한 사람으로서, 용산이 지역구인 시의원으로서, 그리고 용산공원조성추진위원으로서 앞으로 비게 될 '한미연합군사령부' 건물을 어떻게 활용하면 좋을까를 고민해왔다. 그런데 2020년 삼성의 이건희 회장이 사망하면서 '이건희 컬렉션'에 대한 이야기가 언론에 보도됐고 개인적으로는 이를 한미연합사령부에 유치한다면 여러모로 이점이 많으리라는 생각이 들었다.

2021년 4월 유족들은 이건희 회장이 개인적으로 모아온 문화재급 유물과 예술작품 2만 3,000여 점을 국가에 기증한다고 밝혔다. 미술계에서는 이건희 회장 기증품 중 근대기 작품 1,000여 점과 국립현대미술관이 소장한 근대 미술품 2,000여 점을 합쳐 국립근대미술관을 설립하자고 주장했다. 마침 문재인 대통령은 관련 시

2020년 7월 21일 용산공원 부분 개방부지 첫 개방일에 국토부의 용산공원 조성계획안 발표가 있었다. 나는 그날 용산공원조성추진위원회와 국민 앞에서 공원 조성에 대한 의견을 이야기했다. 나는 오랫동안 용산에 사는 한 사람으로서, 용산이 지역구인 시의원으로서, 그리고 용산공원조성추진위원으로서 앞으로 비게 될 '한미연합군사령부' 건물을 어떻게 활용하면 좋을까를 고민해왔다.

설 검토 지시를 내렸고 당국이 시설 건립을 위한 장소를 선정하게 됐다는 이야기까지 나왔다. 그때 나는 무릎을 딱 쳤다.

　나는 우리나라도 선진국처럼 현대미술관과 구분된 근대미술관을 가질 때가 되었다고 생각한다. 대한제국역사관과 국립현대미술관 분관으로 사용되는 덕수궁 석조전 본관과 서관처럼 건축물의 역사가 전시의 의미를 배가시킬 수도 있다. 한미연합사령부 건물을 리모델링해 이건희 컬렉션을 유치하면 기차역을 미술관으로 개조한 파리 센 강변의 오르세 미술관처럼 훌륭한 도시재생 사례도

될 수 있을 것이다.

2021년 11월 기준 용산기지의 상당 부분은 우리의 품으로 돌아와 용산공원으로 부분 개장을 하고 있다. 팬데믹 사태만 아니었다면 전면 개장도 가능했으리라 안타까움이 있다. 하지만 용산공원이 시민의 품으로 돌아왔다는 것만으로 반가운 소식이 아닐 수 없다. 물론 용산공원의 정체성에 대해서는 끊임없이 고민해야 하는 부분이 있다. 전문가들은 용산공원을 생태공원화하자고 하지만 맨해튼의 센트럴파크 같은 공원이 되기 위해서는 기본적으로 세로로 길고 폭은 좁은 것이 이상적이다. 주위에 높은 고층 빌딩이 둘러쳐져 있어야 감시 작용이 적절히 작용해 안전과 치안에 더 큰 효과를 기대할 수 있다. 그러나 현재의 용산공원은 용산기지를 보존한 형태여서 서양의 배 모양으로 아래로 내려올수록 폭이 커진다. 모양 자체가 이상적 도심 공원과는 거리가 있다.

또한 생태공원으로 조성하기 위해서도 부족한 부분이 없지 않다. 현재의 잔디밭과 골프연습장을 그대로 시민에게 개방하는 것이 최선인지 의문이 든다. 게다가 너른 공간을 시민에게 개방함으로써 휴식공간을 제공한다는 의의는 살릴 수 있다. 하지만 시민 입장에서만 휴식을 위해 공원을 방문하고픈 욕구가 어느 정도나 있을까 싶다. 흔히 말하는 '거리'가 없어 아쉽다. 놀 거리, 즐길 거리, 관람 거리 등을 더 고민해야 하지 싶다.

만일 한미연합사령부 건물에 갤러리를 만들면 상황은 달라진다. 공원에서 휴식을 취하던 사람들이 문화 체험을 하러 갤러리에 올

수도 있고 갤러리에서 문화재 외 예술품을 관람한 사람들이 공원에서 산책하며 피로를 풀 수도 있다. 미국의 센트럴파크도 인근에 미술관과 박물관이 많다. 그러한 이점으로 명소로 이름을 날리며 주목을 받고 있다. 용산에는 이미 한강진역 근처 그랜드하얏트호텔 아래 '리움'이라는 유명 갤러리가 있다. 이건희 컬렉션이 들어오면 이와의 연계도 이점이 될 수 있다. 무엇보다 용산공원을 민족공원으로 조성하고 그 안에 박물관을 비롯해 여러 시설을 한꺼번에 설치한다면 시민들의 편익이 클 것을 기대했다.

나는 이런 아이디어를 바탕으로 전문가를 만나 의견을 구하고 제안서를 작성했다. 용산공원 내 한미연합사 부지에 이건희 기증관을 건립하자는 내용이었다. 그리고 2021년 10월 김현미 국토부 장관과 황희 문화체육관광부 장관을 만나 서한을 전달했다. 용산 서계동 국립극단 사무동 내 문화체육관광부 회의실에서 황희 장관에게 제안서를 전달하기도 했다. 황희 장관은 자세히 검토해보겠다고 답을 했다. 실제 마지막까지 문화체육관광부와 서울시는 송현동 부지와 용산 부지 중 한 곳에 이건희 기증관을 짓겠다고 발표를 했다. 약간의 기대를 하고 서울시의 발표를 기다리고 있었다.

그런데 2021년 11월 10일 문화관광부와 서울시에서는 이건희 기념관의 설립지로 송현동 부지를 선정했다. 경복궁과 헌법재판소 사이에 있는 송현동 부지가 국립현대미술관 서울관을 비롯해 박물관과 미술관이 많은 인사동과 인접해 있고 사람들이 찾아오기 쉽다는 이유에서였다. 용산구의 경우 이건희 기증관을 설립하려면 별도 진입로를 만들어야 해 상대적으로 접근성이 낮다는 평가가 있었다고 덧붙였다. 개인적으로 안타까운 결정이지만 경복궁에 인접한 송현동 부시노 지리적으로나 문화적으로 강점이 있다는 것은 인정하지 않을 수 없었다.

발표 이후 다시 나는 고민을 시작했다. 시민의 품으로 돌아가는 용산공원에 어떤 시설을 유치해야 문화적으로 그리고 경제적으로도 성공할 수 있을까? 분명히 길이 있으리라 생각하고 전문가들을 쫓아다니는 중이다. 최근에는 국토부와 서울시가 주최하는 '용산공원 조성 토론회'를 홍보하며 시민들의 활발한 참여로 다양한 의견이 수렴되길 기대한다. 누구라도 좋은 아이디어가 있는 분이라면 용산공원 조성 토론회에 적극적으로 참가해주길 바란다.

# 일자리가 풍부해야
# 도시가 번영이 된다

　10년도 더 된 일이다. 유튜브 영상으로 초코파이로 유명한 '오리온 공장'을 보았는데 그야말로 깜짝 놀랐다. 공장은 현대화되고 자동화되었다. 반죽, 조형, 포장에서 적재까지 사람이 거의 필요치 않았다. 전 공정이 컨베이어 벨트로 진행돼 사람 손이 갈 곳이 없었다. 검수나 적재 시에만 사람들이 잠깐 비쳤다. 지게차를 움직이는 이만 온전한 제 일이 있어 보였다. 예전에 양평동 롯데제과 공장 앞에서 마주쳤던 수많은 노동자가 떠올랐다.

　'이제 거기도 사람이 필요치 않게 됐을까?' '그렇다면 그들은 어디로 갔을까?'

　어디서든 일자리가 줄고 있음을 체감하니 속이 편치 않았다.

　고대의 도시는 기후가 좋고 강과 평야가 있어 대단위 농업이 가능하고 육로와 해로가 발달해 교역을 할 수 있는 곳에 만들어졌다.

거기에 방어가 쉬워서 외적으로부터 침입을 막을 수 있다면 금상
첨화였다. 지리적 요건과 기후가 도시의 주요한 요건이었다. 현대
도시의 성장 요건은 이와는 좀 다르다. 도로와 상하수도 등 도시
인프라가 잘 갖춰져 있어야 하고 거주 환경도 쾌적해야 한다. 무
엇보다 일자리가 풍부해야 한다. 그래야 사람이 모이고 돈이 벌리
고 번영이 이루어진다. 그러나 현재 대부분 도시는 일자리를 잃고
있다. 특히 4차 산업혁명으로 진입하면서 양질의 일자리가 빠르게
줄고 있다. 연구개발R&D, IT, 바이오, 그리고 각종 서비스 산업들은
이전만큼 많은 일자리를 만들어내지 못한다. 도시를 살리고자 하
는 많은 이들은 '어떻게 하면 양질의 일자리를 만들 수 있을까?' 머
리를 싸매고 고민하지 않을 수 없다.

　당장은 일자리 문제가 시급하지만 국가와 도시의 미래를 떠올리
면 '산업'에 대한 깊은 고민이 필요하다고 생각한다. 용산 전자상
가는 1980년대부터 '첨단산업의 메카'라 불리며 오랜 기간 서울의
사업 중심으로 자리매김해왔다. 하지만 사물인터넷IoT과 인공지능
AI 시대를 대비하기에는 역부족인 상황이다. 더구나 서울시가 야심
차게 진행했던 도시재생 사업은 여러 가지 이해관계와 복잡한 산
업구조를 담아내지 못해 '산업 재구조화'라는 목표를 달성하지 못
했다. 이러한 상황에서 전문가들은 '어떻게 하면 양질의 도시산업
을 정착시킬 수 있을까?'라는 질문을 던지기도 한다.

　뉴욕의 허드슨강과 맞닿는 부분에 오래 방치되었던 철도정비창
부지는 복합개발을 통해 세계적인 주목을 받았다. 상업, 주거 등

다양한 기능, 독특한 건축물, 여기에 스마트 신기술까지 도입해 그야말로 최첨단 복합단지로 탈바꿈되었다. 나는 개인적으로 이러한 개발 과정에서 업무와 산업 기능에 충실하게 도시재생이 이루어진 부분이 몹시 부럽다.

비슷한 맥락에서 용산에 국제업무지구가 들어왔으면 하는 바람이 있다. 한양도성 중심의 옛 도심CBD은 이미 업무기능이 포화 상태이다. 게다가 문화재가 많아 추가로 개발하기에도 어려움이 많다. 이제 한양도성 도심은 역사적이고 상징적인 지역으로 하고 서울역을 매개로 한 용산역과 용산정비창 일대는 미래에 대비하는 새로운 국가 중심 지역으로 육성할 필요가 있다고 생각한다.

어느 국가나 중심 도시에는 '물'과 '도심 공원'이 있다. 뉴욕의 센트럴파크와 허드슨 강, 런던의 카나리워프와 템스강이 대표적이다. 그럴 수밖에 없다. 물과 공원이 도시인들에게 쉼을 주는 '여가' 공간으로서 기능을 하기 때문이다. 물은 '이동' 수단으로 활용될 수도 있다. 용산이 이 모든 것을 갖춘 것은 두말할 필요가 없다. 용산공원은 명실상부한 국가공원으로 조성될 예정이다. 게다가 용산 아래에 도도히 흐르는 한강은 국제적 도시에서도 찾아보기 어려운 큰 규모의 하천이다. 용산역과 용산정비창은 둘을 끼고 자리잡고 있다. 나아가 용산은 한강을 건너 여의도와도 이어진다. 한양도성 도심과 국제금융의 중심이라는 여의도 사이에 있는 용산정비창은 새로운 국제업무지구로서 충분한 잠재력을 지닌 곳이다.

한국철도공사 용산차량기지였던 부지는 새로운 사업을 기다린 지 오래다. 과거에는 용산구 한강로3가와 이촌2동에 걸쳐 있는 0.44제곱킬로미터의 부지를 업무지구와 수본도시로 탈바꿈시키겠다는 개발 프로젝트가 진행된 바 있다. 2007년 건설교통부에 의해 개발 계획이 수립되고 발표 되었다. 하지만 31조 원의 어마어마한 사업비와 2008년 찾아온 글로벌 금융위기로 이 개발 계획은 무산되고 말았다. 개발 계획은 매우 지지부진한 시기를 보내야 했고 2013년 최종적으로 서울시가 지구 지정을 해제했다.

비교적 최근인 2020년 국토교통부는 '수도권 주택 공급 기반 강화 방안'을 발표하면서 용산국제업무지구 부지에 8,000세대가량의 주택을 공급하겠다고 나섰다. 임대주택 2,400세대가 포함된 규모이다. 2023년 이후 착공할 예정으로 주거시설 이외에도 업무 시설과 상업시설 등 도시 개발에 따른 부대시설도 조성될 계획이다.

그런데 2021년 재보궐 선거로 당선된 오세훈 시장은 용산국제업무지구 재추진 의사를 강하게 밝히고 있다. 1기 재임 때 추진했던 원안을 복기하며 용산전자상가, 경부선 지하화, 용산공원 조성 등 다양한 사업과도 연계할 계획이라고 밝혔다.

나는 용산에 국제업무지구를 짓는 것은 매우 타당한 안이라고 생각한다. 용산정비창과 전자상가 일대를 연계하여 재조성한다면 국제업무지구와 산업혁신 플랫폼이 조화를 이룰 수 있고 서울에 지급한 주택공급도 더 효율적으로 달성할 수 있을 것이다.

어느 도시고 산업이 쇠퇴해서 일자리가 줄어들면 도시 자체가 쇠락할 수밖에 없다. 우리나라 특히 서울은 면적이 크지 않아 어디를 가나 개발이 되고 모두가 살기 좋은 곳이라 생각하지만 자세히 들여다보면 그렇지 않다.

강남북 격차가 대표적이다. 특히 지역의 경쟁력에 영향을 미치는 대표적 요인이 기업체와 일자리 수이다. 기업체가 많아 일자리가 많은 강남은 발달하고 기업체가 적고 일자리도 적은 강북은 성체의 시기를 보냈다. 일례로 강남구와 강북구를 비교해보면 2019년 근로자 수 기준 강남구의 일자리 수는 960만 개였던 반면 강북구는 38만 개에 지나지 않는다. 용산구도 45만에 그친다. 500대 기업 중 강남구에 분포한 기업은 60개지만 강북구에는 1개도 없다. 잘 알려져 있듯 서울 내에서도 중구(75개), 영등포구(44개), 강남구는 일자리의 중심이자 기업 밀집도가 높은 곳이다. 500대 기업 중 용산에 본사를 둔 곳은 11개에 그친다. 기업체가 많고 일자리가 많은 곳은 거주 선호도가 높고 상권도 발달한다. 그야말로 도시다운 도시로 활기를 느낄 수 있다. 어느 자치구이든 도시 자체로 성장하고자 한다면 기업을 유치해야 하고 산업을 일궈야 하며 일자리 또한 늘려야 한다. 서울의 중심이나 진배없는 용산구도 마찬가지이다.

용산의 경우 서울의 주요 입지임에도 용산기지와 차량기지가 넓게 자리를 잡고 있어 주요 산업이 들어서지 못했다. 그나마 이태원을 중심으로 상권이 발달해서 토박이 기업이 자리를 잡는 수준이다. 안타깝게도 이 상태가 지속된다면 용산공원이 열리고 주거지가 넓어진다 해도 도시에 활력을 불어넣기는 쉽지 않을 것이다. 특히 주거지가 확대되는 것은 관련 인프라가 충분히 갖추어졌을 때 개선 효과를 가져올 수 있다. 그런데 현재 용산은 관련 인프라 확충도 쉽지 않다. 무조건 아파트만 지을 것이 아니라 도로도 확보하고 학교도 짓고 상권도 확충해야 한다. 그런데 그런 종합적인 비전과 계획을 고민하는 곳을 찾아보기 어렵다.

나는 용산을 성장시킬 수 있는 가장 좋은 대안이 국제업무지구라고 생각한다. 아니, 서울과 대한민국의 미래를 생각할 때도 마땅히 그래야 한다고 생각한다. 용산에는 용산역이라는 서울 어디로든 움직일 수 있는 편리한 교통 시설이 있다. 한국 시장에 진출하는 글로벌 기업들이 입주하거나 아시아의 허브 지점을 세우면 이러한 교통은 매우 유리한 이점이 될 것이다. 거기에 인근에 있는 용산전자상가를 산업과 주거가 어우러진 복합시설로 리모델링하면 입주 기업 노동자들의 주거 문제도 해결할 수 있다.

어릴 적 정읍에서 상경한 내가 매료됐던 서울은 많은 사람, 많은 차, 높은 건물들에서 뿜어져 나오는 활기가 넘치는 곳이었다. 물론 자연 친화적 환경을 보존할 필요도 있고 쾌적한 공간을 만들기 위해 문화적 접근을 하는 것도 필요하지만 도시가 활기를 유지하기 위해서는 앞서 강조했듯 '일자리'와 '산업'이 무엇보다 중요하다. 용산이 한 단계 도약하기 위해서도 우선으로 양질의 일자리를 확보해야 하는 것은 타협 불가의 요소이다.

이에 나는 요즘 국제업무지구가 왜 필요한지 주민들과 정책입안자들을 설득하면서 실현되기 위해 어떤 과정이 필요한지 공부하는

중이다. 용산구민들이 뜻을 같이해주길 바라고 용산이 발전하는
데 밀알의 역할이라도 할 수 있기를 기대한다.

# 작은도서관을 만들고
# 학교 환경을 개선하다

2019년 7월 18일 여름의 더위가 시작되는 날 나는 노타이에 가벼운 재킷 차림으로 집을 나섰다. 그날은 설레는 일정이 있었다. 점심을 약간 넘겨 용산2가동주민센터에 도착했다. 계단을 조금 내려가자 낯익은 냄새가 풍겨왔다. 새 책에서 뿜어져 나오는 종이와 풀냄새였다. 문을 열고 들어서자 사면의 벽이 온통 새 책과 기증된 책으로 가득했다. 용산2가동주민센터의 새마을금고를 리모델링한 '해다온 작은도서관'이 첫 문을 열게 된 날이었다.

"오늘날의 나를 만든 것은 마을의 도서관이었다."

마이크로소프트의 창업자 빌 게이츠Bill Gates의 말은 내가 깊이 공감하는 말이다. 빌 게이츠는 하버드 졸업장보다 독서 습관이 중요하다고 했는데 그 말 역시 공감한다. 아이들이 꿈을 키우는 데 도서관만큼 중요한 공간이 또 있을까 싶다.

도서관과 교육시설 리모델링 사업은 내가 시의원이 되면서 꼭 하고 싶었던 일 중 하나다.

딸아이를 키우면서 나는 책의 소중함을 여러 번 느꼈다. 지금까지도 어린이집 부감을 하고 있는 아내는 태생적으로 아이들을 좋아한다. 딸아이에게도 퍽 자상했다. 그런 아내가 두 가지에서만큼은 타협이 없이 엄격했다. 첫째가 주일을 지키는 것이었고 둘째가 책을 가까이하는 것이었다. 그런데 예배와 책은 약간의 차이가 있었다. 어린아이를 어르고 달래면 예배는 누구라도 데려갈 수 있었다. 하지만 책을 가까이하는 것은 강제로 되는 게 아니었다. 말을 우물로 데려갈 수는 있지만 물을 마시게 할 수는 없는 것이니 말이다. 현명하게 아내는 딸아이가 어릴 때부터 '책을 가까이 하는 습관'을 들이도록 세심하게 배려했다. 먼저 눈을 뜨고 감을 때 책을 읽어주었다. 거실에도 책장을 비치해 자연스럽게 접하게 했다. 그러자 아이는 심심할 때 책을 집어 들었고 스며들 듯이 책에 빠져들었다. 어릴 때부터 갖춰진 습관은 사춘기를 지날 때도 잘 변하지 않았다. 인생의 전환점이라고 하는 대학입시에도, 책을 많이 읽고 다독상을 받았던 경험을 에세이로 제출해 높은 가산점을 받았다.

그러나 책이 아무리 소중하다고 해도 집마다 많은 장서를 보관한다는 것은 사실 쉬운 일이 아니다. 책을 관리하고 보관하는 데 어려움을 느끼는 가정들이 많다. 나는 이러한 어려움을 해결할 수 있는 것이 공공도서관이라 생각한다. 책이 주는 다양한 이점을 알고 있는 만큼, 당연히 우리 모두 잘살게 하는 공공사업 중에는 도서관 사업도 포함되어야 한다.

처음 시의원이 되고 용산2가동주민센터의 문고를 방문했을 때는 실망을 금치 못했다. 공간이 좁고 설비가 낡은데다 조명까지 어두웠다. 그도 그럴 것이 문을 연 이후에 장서만 조금 늘어왔을 뿐 이렇다 할 보수 공사가 진행되지 못했다. 게다가 지하에 위치해 환기도 안 되고 맞은편 헬스장 소음도 만만치 않았다. 도서관으로서 역할을 제대로 하자면 리모델링 사업이 반드시 필요해 보였다.

2019년 문화체육관광부 생활SOC 사업(작은도서관 조성) 국고보조금을 신청해 승인된 것이 큰 도움이 됐다. 약 9,800만 원의 예산을 확보할 수 있었다. 용산구는 여기에 주민참여예산 5,000만 원을 더해 리모델링 사업을 진행했다. 공간을 새롭게 리모델링하는 것은 물론 희망도서도 1,000여 권을 새롭게 비치했다. 이로써 작은도서관이지만 1만 권의 장서를 보유하는 도서관으로 거듭나게 됐다. 도서관 담당자는 "이 정도 시설과 규모면 유아동을 위한 독서문화프로그램 진행도 가능하겠습니다."라며 많은 주민이 찾을 수 있는 프로그램 개발에 나섰다. 도서관 리모델링 사업으로 새로운 문화시설은 물론 문화프로그램까지 지원할 수 있으니 일거양득의 효과가 났다.

용산구에서 작은도서관 개관과 함께 공을 들인 또 하나의 사업은 초중고등학교의 환경 개선이다. 대표적으로 도서관과 실습실을 리모델링하고 운동장도 마사토 보수공사를 진행했다. 딸아이도 용산에 있는 학교에 다녔는데 대부분 역사가 오래됐다. 그만큼 시설

오산중학교 운영위원회 학부모님들과 서울시의회 박진형 예산결산위원장 방문을 마치고

도 오래돼 불편한 부분들이 더러 있다. 세심히 살펴서 공사가 필요한 부분을 발굴하고 적시에 리모델링 사업을 진행해 줄 누군가가 반드시 필요하다. 내가 시의원이 되기 전부터 학부모들을 통해 들었던 민원 내용이기도 하다.

시의원이 되고 이태원초, 보성여중고, 용산중 등 용산 관내 학교들을 찾아 시설 상태를 살펴보았다. 학부모들이 이야기한 대로 도서관 상태도 실습실 상태도 썩 좋지 않았다. 도서관의 책은 낡고 오래됐으며 공간도 낡아 사설 독서실만도 못한 곳이 많았다. 바닥이 들뜨고 조명도 어두웠다. 도저히 즐거운 마음으로 와서 책을 읽고 싶을 것 같지 않았다. 실습실도 마찬가지였다. 가사실습실의 경우 음식물을 만드는 곳이다 보니 잘 관리를 해도 특유의 냄새가 배고 소위 말하는 생활 때가 많이 낀다. 오래도록 환경 개선을 안 하다 보니 선뜻 들어서기가 망설여질 지경이었다. 교장 선생님과 담당 선생님께 여쭤보니 교육청에서 지원하는 예산으로는 도서관은 바닥공사만 가능하고 실습실의 경우는 예산의 거의 없어 비품 교체 정도에 그친다고 했다.

나는 시비에서 지원할 수 있는 사업이 있는지 알아보고 여러 부처를 쫓아다니며 예산 확보에 나섰다. "자라나는 꿈나무들이 재밌게 책을 볼 수 있는 공간이 필요하지 않겠습니까?" "우리 아들딸들이 잘 배우고 익혀야 하는데 냄새나고 불편한 실습실에서 그게 제대로 되겠습니까?" 설득에 설득을 거쳐 수천만 원에서 수억 원의 예산을 확보할 수 있었다. 운동장 개보수 사업도 비슷했다. 흔히들 운동장은 흙바닥이기 때문에 수십 년간 그대로 사용해도 되는 줄 아는데 그렇지 않다. 운동장 흙이 나빠 이물질에 잔골재가 노출되면 바닥이 평탄하지 않고 흐트러져 물고임이 일어난다. 물이 잘 빠지는 않는 질척한 운동장에서 학생들에게 체육을 가르칠 수는 없는 노릇이다. 운동장 시설 점검을 마친 나는 운동장에 마사토를 깔고 바닥을 고르게 하는 공사 예산을 확보해 주었다. 몇몇 학교의 운동장이 새것처럼 고르고 깨끗해졌다.

요즘도 나는 시간이 날 때마다 학교에 들른다. 학생들이 교과서를 펼쳐두고 수업을 듣는 모습을 보면 격세지감을 느낀다. 내가 유심히 보는 것은 교과서이다. 초등학교 교과서뿐만 아니라 고등학교 교과서까지 우리 때와 달리 알록달록 색깔도 화려하고 읽기 쉽고 재밌게 만들어졌다. 어릴 때 흑백에 깨알 같은 글씨만 가득하던 교과서를 기억하는 내게 요즘의 교과서는 별천지 같다. 세상이 변화한 만큼 아이들의 교과서도 변화한 것이다. 나는 속으로 '딱 교과서만큼만 학교가 변화하면 좋겠다.'라는 생각을 한다. 아이들이 생활하는 공간도 안전하고 깔끔하게, 그리고 아이들이 머물고 싶은 공간으로 하루빨리 변모해 갈 수 있도록 오늘도 일거리들을 찾아 나선다.

# 아이들의 눈높이에 맞춘 신호등을 설치하다

"하루는 아이를 데리고 길을 건너려고 신호를 기다리다 잠시 쪼그리고 앉은 적이 있었다. 아이의 눈높이였다. 눈앞에 펼쳐진 광경에 그제야 아이의 심정이 이해됐다. 약 1미터 남짓 눈높이에서 바라본 도로는 공포 그 자체였다.

승용차의 헤드라이트가 바로 눈앞에서 왔다 갔다 하고, 밑에서 위로 바라봐야 하는 트럭의 위압감은 이루 말할 수 없었다. 더 아찔한 것은 그 눈높이에선 운전자가 잘 보이지 않더라는 것이다. 바꿔 말하면 운전자도 내가 보이지 않는다는 의미다. 하루가 멀다고 뉴스를 장식하는 아이들의 교통사고 소식이 실감나는 순간이다. 그렇다고 마냥 운전자들을 탓할 수도 없는 노릇이다. 나 역시 운전자의 한 사람으로서 정말 조심하고 조심해도 안 보이는 건 안 보인다.

결국 아이가 차를 피해가길 바라는 수밖에 없다. 입이 마르도록 차 조심해라, 신호등 잘 보고 다녀라를 외칠 수밖에 없는 이유다.

그런데 문제는 거기서 그치지 않는다. 아이의 눈높이에선 높은 곳에 달린 신호등이 잘 안 보이더라는 것이다. 물론 의식을 해서 보니까 보이긴 하지만 전혀 직관적이지 않다. 교통시스템을 이해하는 성인도 이럴진대 아이가 신호등을 잘 보고 다니길 바라는 건 욕심이 아닌가 싶다."

「정보통신신문」의 차종환 기자가 2020년 7월 10일 자에 쓴 기사다.

2019년 9월 충남 아산의 한 어린이보호구역(스쿨존)에서 아홉 살 김민식 군이 세상을 떠났다. 이후 '민식이법'이 국회를 통과하면서 2020년 3월 25일부터 어린이보호구역 내 신호등과 과속단속 카메라 설치가 의무화됐다. 그뿐만 아니라 안전운전 의무 부주의로 사망이나 상해사고를 일으킨 가해자에게는 가중처벌이 적용되었다.

그러나 그로부터 수개월이 지난 후 나는 한 인터넷 매체에서 여전히 '아이들을 위한 횡단보도는 없다'는 제목의 기사를 보게 되었다. '어린이 보호를 위해 가능한 노력을 하고 있다지만, 어린이의 눈높이에서는 모든 것이 미흡하다.'라는 것이 한 아이의 아버지이자 기자의 주장이다.

나 또한 비슷한 고민을 오래전부터 해왔다. 그리고 나름대로는

도시 답사 중 스페인 빌바오에서 처음 보았던 눈높이 신호등.

대안을 찾아 여러 노력을 했다. 최근에는 '눈높이 신호등 사업'을 추진하기도 했다. 시범 사업의 좋은 결과를 기대하며 눈높이 신호등의 도입 계기를 소개해 보고자 한다.

　내가 해외에서 눈높이 신호등을 본 것은 몇 해 전이다. 코로나19가 심해지기 전 건축 기행 차 유럽에 갔다가 눈높이 신호등을 처음 보았다. 스페인 빌바오에서였는데 길에 온통 노란색 신호등이 설치돼 있어서 당황스러웠던 기억이 있다. 요즘은 노란색으로 많이 바뀌었지만 당시만 해도 우리나라 신호등의 대부분은 검정색이었다. 보행자와 운전자의 시야에서 크게 방해가 되지 않도록 그렇게 지정이 된 것인지, 아니면 특별한 기준이 없던 것인지 모르겠다. 그것이 우리 상식의 신호등이었다. 그런데 스페인의 신호등은 온통 노란색이었다. 그래서 눈에 잘 띄었다. 게다가 신호등의 높이도 어른의 키를 훌쩍 넘기는 우리와 달랐다. 어린이의 눈높이, 성인의 눈높이로 비교적 낮게 설치돼 있었다. 그러다 보니 신호등을 자주 보게 되었고 편하게 볼 수도 있었다. 운전자 입장에서도 보행자의 신호가 잘 보이니 신호를 지키는 것이 더 수월해질 것 같았다.

한국에 돌아온 나는 기사의 아버지처럼 횡단보도 앞에서 쪼그려 앉아 보았다. 키를 낮추니 횡단보도를 보기 너무 힘들고 달려오는 차도 매우 위협적으로 느껴졌다. 횡단보도가 많았지만 어디나 만족스럽지 않았다. 과연 "아이들을 위한 횡단보도는 없다."라는 말이 틀린 말이 아니었다.

이후로 나는 주변에 "스페인에서 '눈높이 신호등'을 보았는데 이를 우리나라에도 적용해볼 수 있을까?" 하는 고민을 나누었다. 그 와중에 김민식 군 사망사고가 일어났고 안타까운 마음을 금할 길이 없었다. 어린이보호구역에서만이라도 아이들에게 최적화된 눈높이 신호등을 설치해 두었다면 어땠을까 하는 자책도 일었다. 이후 눈높이 신호등 설치에 적극적으로 나섰다.

2019년 11월 1일부터 서울시의회 제290회 정례회가 열렸다. 나는 예산결산특별위원회 부위원장으로 제2차 회의를 진행했다. 그날 도시교통실장에게 어린이보호구역 정비사업에 관해 질의했다. 2020년 서울시 예산에는 어린이안전구역을 포함한 다수의 곳에 속도제한 CCTV를 설치를 할 수 있는 예산이 포함돼 있었다. 그러나 이것만으로는 부족했다. 어린이들에게 최적화된 교통시스템이 우리에게도 필요했다.

"실장님, 혹시 눈높이 신호등 아세요?"

도시교통실장은 직접 보지는 못하고 이야기만 들었다고 답했다.

"어린이 눈높이에 맞추는 신호등이 선진 국가들에는 다 있습니다. 어린이보호구역 내에는 거의 있는데 우리 서울시도 이것을 급히 도입해야 한다고 생각합니다. 속도제한도 중요하지만 운전자 높이 그리고 어린이 높이에서 볼 수 있는 교통시스템이 있는 것이 중요하다고 생각합니다. 내년에 꼭 도입할 수 있도록 부탁드리겠습니다."

이후 서울시에서 예산이 확보되어 눈높이 신호등 시범사업을 시행하게 되었다. 2021년에만 8곳에 시범적으로 설치해 보기로 했다.

다행스럽게도 우리나라 어린이의 교통사고 사망자는 나날이 감소하고 있다. 2000년에 555명이던 것이 2020년에는 24명으로 많이 감소했다. 인구 10만 명 당 어린이 교통사고 사망자는 2010년 1.6명에서 2018년 0.6명으로 감소해 경제협력개발기구OECD 평균 (0.8명)에 진입했다. 그런데 '눈높이 신호등'이 있는 스페인은 10만 명당 어린이 교통사고 사망자가 0.4명에 그친다. 눈높이 신호등을 통해 우리나라 어린이의 교통사고 비율이 좀 더 줄어들기를 기대해본다.

2021년 11월 용산구 후암동 후암초등학교 앞에 처음 설치된 눈높이 신호등

후암초등학교 앞에서 초등학생들에게 눈높이 신호등에 대해 설명하고 있다.

# 의회의 역할은 어려운
# 문제를 해결하는 것이다

2021년 6월 『국토저널』과의 인터뷰에서였다. 기자는 나의 관심사를 물어보았다. 코로나19 상황에서 도시계획관리위원회에서 진행하고 있는 업무를 다소 거창한 말로 설명하기 시작했다.

"용산에는 단군 이래 최대 개발사업인 용산정비창, 최대 재개발로 불리는 한남3구역, 1882년 임오군란 이후 140년간 외국군대가 머무르다 이제 우리나라 최초의 국가공원으로 조성 중인 용산공원이 있습니다.

한남 2~5구역, 효창 4~5구역 등 뉴타운이 약 30만 평 규모이고, 이촌동 등 아파트 재건축 사업이 18곳이며, 해방촌, 서울역, 용산전자상가 등 서울의 대표적인 도시재생사업도 있습니다. 이처럼 세계적으로 서울의 상징이 될 미래 중심 공간과 서울 시내에서 가장 소외되고 낙후된 지역이 공존하는 용산의 주민대표로서 도시의

미래를 어떻게 만들어나갈 것인가 하는 것이 최우선 관심사입니다. 이를 완수하기 위해 10대 의회 전반기와 후반기 모두 도시계획관리위원회에서 활동하고 있습니다."

인터뷰 시간은 훌쩍 1시간을 넘겼다. 기자는 대답이 다소 곤란할 수 있겠다며 마지막 질문을 던졌다.

"정부의 부동산 정책에 대해서 여론은 싸늘합니다. 도시계획 전공자로서 대안을 제시하신다면 어떤 게 있습니까?"

나는 국가 차원의 거창한 부동산 정책까지는 잘 모르지만 주택 공급을 확대하는 것이 주요 대안이 될 수 있으리라 대답했다. 당장 서울시에 새로 주택을 지을 땅이 부족하다면 정비사업의 추진을 원활히 해주는 것도 얽힌 매듭을 푸는 좋은 방법이라는 것이 평소 나의 생각이었다.

실제는 2021년 4월 나는 서울시의회 임시회 업무보고를 통해 "서울시가 소유한 이촌 중산시범아파트 부지를 주민들에게 매각해 재건축이 신속하게 추진될 수 있도록 하라."라는 주장을 펼쳤다.

중산시범아파트는 원효대교 인근에 있는 6개동 228세대가 사는 아파트로 1970년에 준공되어 2021년 기준 51년을 맞았다. 재건축 연한을 훌쩍 넘긴 만큼 내부 상태도 매우 열악하다. 빨간 벽돌을 층층이 쌓아 올린 건물은 칠이 거의 벗겨져 회색 내벽이 드러나고 벽에는 실금이 많다. 빗물이 들이치면 물이 흥건히 고이고 벽에도 흰 곰팡이 자국이 가득했다. 그럼에도 땅을 주민들이 갖고 있지 않아 재건축을 못 하고 있다.

1970년 정부는 부지는 국가나 지자체가 소유하고 건물만 주민들이 소유하는 형태로 '시범단지'를 조성했다. 토지 매입비용을 줄여 시범단지를 좀 더 저렴한 가격에 공급할 수 있다는 생각에서였다. 그러나 이는 '정비사업 진행 불가'라는 부작용을 낳았다. 물론 관련 규정에 아파트 입주민들이 정부나 지자체로부터 해당 토지를 매입할 수 있다는 조항이 없는 것은 아니다. 토지 매입을 위해서는 주민들의 100퍼센트 동의가 있어야 한다. 그런데 이게 현실적으로 매우 어렵다. 오래된 아파트다 보니 사망 후 상속 정리가 안 된 경우나 소유주가 해외에 장기 체류해 연락이 닿지 않는 경우가 있다. 이런 상황에서 해당 아파트에 거주해야 하는 이들은 불편과 불안을 안고 살아갈 수밖에 없다.

나는 시의원이 되기 전부터 중산시범아파트를 유심히 보아왔다. 주일 예배를 마치고 커피를 마시기 위해 들른 찻집 옆에 중산시범아파트가 있었다. 주변을 한참을 둘러보았다. 한강 변의 좋은 위치에 이토록 오래된 아파트가 방치 수준으로 유지되는 데는 무슨 사정이 있지 않은가 싶었다. 시의원이 되고 얼마 지나지 않아 해당 아파트를 찾아가 주민대표를 만나보았다. 주민대표는 나를 보자마자 어려운 사정을 토로했다.

"재건축 추진위원회를 설립하고 조합설립을 준비하던 중에 2007년 용산 국제업무지구에 우리 아파트가 포함되었다는 소식을 들었습니다. 그 길로 재건축이 중단됐습니다. 그런데 어느 날 우리 아파트가 또 용산정비창 개발사업구역에서 제외되었다고 합니다.

이후로 자체적으로 조합설립을 하려고 하는데 땅 문제가 걸려 속수무책으로 세월만 보내고 있습니다."

들고 보니 해당 아파트는 서울시의 도시계획으로 인해 오랜 기간 재산권이 침해됐던 상황이다. 그런데도 아파트 부지가 시 소유라는 이유로 담보 상태에 놓여 있었다. 나는 해결 방법을 찾기 위해 백방으로 뛰기 시작했다.

우선 서울시 도시계획국 업무보고 자리에서 재건축 추진을 도울 방안을 찾아보자고 제안했다.

"서울시는 이제라도 조합추진위원회의 매수 신청을 받아들여 재건축이 신속하게 추진될 수 있도록 지원해야 합니다."

이어서 오세훈 서울시장이 현장을 방문해 살펴주기를 당부했다. 중산시범아파트는 1996년 이미 재난위험진단 D등급(주요 자재에 결함이 생겨 긴급 보수·보강이 필요해 사용 제한 여부를 판단해야 할 상태)을 받은 상태이다. 실제로 보면 그 모습이 더 참담하다.

이러한 노력 끝에 서울시는 "아파트 소유주 전체가 토지 매입에 찬성해야 토지 거래에 응하겠다."라는 조건을 철회했다. 중산시범아파트 부지를 6개 동으로 나눠서 각동에서 75퍼센트 이상 동의를 받으면 토지 소유권을 이전해주는 방향으로 선회하겠다고 밝혔다. 만일 재건축 추진위가 주민 동의를 얻어 서울시에 매수 청구를 하면 서울시는 공유 재산 심의위원회를 열고 이를 의결하게 된다. 물론 그 후에도 몇 가지 절차가 더 남아 있다. 심의위원회의 가결 뒤에는 서울시의회로부터 시유지 매각 동의를 얻어야 하고 매입을 위한 비용도 준비해야 한다. 그러나 모든 절차가 마무리되면 재건축 조합이 땅을 매수해 주택 정비사업을 진행할 수 있다. 2021년 11월 기준 재건축추진위원회는 주민들의 동의를 모으고 있다.

개인적으로 나는 의회의 기능 중 가장 중요한 것은 '문제 해결'이라고 생각한다. 특히 법의 테두리 안에 있으나 여러 이유로 불이익을 받거나 공정한 혜택을 받지 못하는 이들의 문제를 해결해주어야 한다.

지금까지 의회는 관리감독을 중요한 기능으로 삼았다. 그래서 행정사무감사를 중시했다. 서울시 예산이 올바로 쓰이는지, 불필요한 관급 공사가 진행되는지, 예산이 과다 책정되지는 않았는지 감시하고 견제한다. 다음으로 시장이 올바른 행정을 하도록 질책하는 것도 의회의 중요 역할로 보았다. 시민들의 손으로 뽑은 시장이라고는 하나 독단으로 일을 처리해서는 안 된다. 의회는 이를 감시하고 적법 절차에 따라 필요한 일들을 우선으로 하는지를 확인한다. 다음으로 주민들 입장에서 필요한 사업을 협치 통해서 진행하는 것도 빼놓을 수 없다. 흔히 민원이라고 불리는 필요 사업들을 통해 주민들의 어려움을 해결하고 편의를 제공한다. 써넣고 보니 의회의 일이 한둘이 아니다. 그러나 중요한 기능 중에 '문제 해결'이 빠져서는 안 된다. 주민들의 체감하는 현장의 문제들을 해결해주어야 한다.

우리 사회에는 산적한 문제가 있다. 어떤 문제에는 예산이 필요하고 어떤 문제에는 법을 바꾸는 노력이 필요하다. 기존의 관행이 잘못되었다면 이를 지적하고 바로잡을 수 있어야 한다. 나는 어떤 문제든 통용되는 상식을 바탕으로 각자의 전문성을 더하면 해결 못 할 일도 없다고 생각한다. 의회는 이러한 것들을 지원하고 법을 보완해 합법적인 해결점을 찾아가도록 도와야 한다.

나는 의회의 이러한 역할들을 시민들도 잘 알았으면 한다. 단순히 공치사를 듣기 위해서가 아니다. 사회 전반적으로 의회에 대해 '우리의 문제를 해결해줄 기관'이라는 믿음이 생겨야 한다. 이런 생각으로 시민들이 시의회의 문을 두드리고 문제 해결을 경험하는 일이 많아질수록 우리 사회도 더 살기 좋은 곳으로 변해갈 것이다.

# 서울의 중심 남산의 가치를 높여야 한다

'서울 도심에 웬 폭주족?'

의아해하는 이들도 있을 것이다. 그러나 밤마다 폭주족들이 만든 소음과 불안에 밤잠을 설치는 이들이 있다. 바로 남산 아래 사는 주민들이다. 사실 남산도서관에서 하얏트호텔까지 이어지는 소월로에 폭주족들이 출몰한 것은 한두 해의 일이 아니다. 오랜 기간 민원이 제기됐으나 특별한 해법을 찾지 못하고 있었다.

소월로는 굽고 긴 도로로 사고 위험이 크다. 하지만 스피드를 즐기는 폭주족들에게는 이만한 장소가 없다고 한다. 심야 한적한 시간에 급커브 구간에서 스피드를 즐길 수 있으니 외제 차와 개조 차량을 가진 폭주족들이 심심찮게 찾아온다. 주변에 사는 주민들은 소음에 불안까지 떠안고 살아야 한다. 경찰서에 신고해도 순찰차가 나타나면 사라졌다가 순찰이 끝나면 다시 돌아오니 그야말로

소월로 CCTV 설치 전경. 해당 경찰에게 설치 내용을 듣고 궁금한 것을 묻고 있다.

속수무책이었다.

　주민들의 불안은 통계에서도 잘 나타난다. 2019년에만 이곳에서 중상 이상 교통사고가 18건이나 발생했고 소음·폭주 관련 112 신고가 일주일 최대 70건이나 접수됐다고 한다. 2021년 1월에는 SUV 차량이 커브 길에서 난간을 뚫고 4미터 아래 주택가로 추락해 주민들이 놀란 가슴을 쓸어내리기도 했다.

　"밤마다 시끄러워서 잠을 못 자겠어! 사고라도 또 날까 봐 무섭기까지 하다고!"

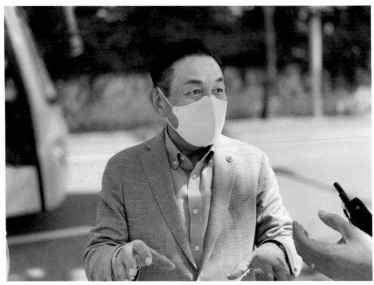

나는 서울 중심의 남산이 더욱 가치를 발했으면 좋겠고 남산을 품고 있는 마을들이 더 살기 좋아지길 바란다.

통친회에 가면 어김없이 민원이 들어왔다. 처음에는 나대로 관계 부처에 문의해보았다. 경찰서에서 "순찰을 강화하겠습니다."라는 답변이 돌아왔다. 주민들에게 이야기를 전하면 "그 이야기는 진즉에 들었어!"라며 보다 근본적인 대책을 마련하라고 아우성이었다.

'그렇지. 폭주족들도 순찰차가 가버리면 다시 경주할 것이고. 그렇다고 순찰차가 종일 지키고 설 수도 없으니 방법이 필요하겠네.'

나 역시 공감하며 대안을 찾기로 했다. 한 날은 이야기를 듣던 동료 의원이 "그거 CCTV로 단속하면 되겠네!"라는 이야기를 꺼냈다. "그렇지!" 무릎을 '탁' 쳤다. 당장 용산경찰서 교통과에 연락하려는데 마침 해당 경찰서 교통과장이 의원실로 찾아왔다.

"의원님, 소월로에 CCTV를 설치하려 하는데 예산이 만만치 않더라고요. 예산 확보를 좀 도와주실 수 있을까요?"

이야기를 듣고 보니 용산경찰서에서도 수많은 민원을 듣고 교통단속 카메라를 대안으로 생각해냈으나 예산 확보가 어려워 설치를 못 하고 있었다고 한다. 나는 바로 서울시에 관련 예산을 확보해줄 것을 요청했다. 서울시의회 예산결산특별위원회에서는 교통사고 사망 줄이기 예산으로 2억 750만 원을 책정해주었다. 그리고 2020년 8월 남산도서관에서 하얏트호텔까지 소월로 2.4킬로미터 구간에 5개 단속 카메라의 설치공사가 시작됐고 곧 모두 완료했다.

CCTV 설치 후 단속 결과는 상당했다. 2021년 4월부터 5개월간 900여 대가 단속 카메라에 걸렸고 그중 23명은 상습적으로 고속 주행을 한 것이 확인돼 입건까지 되었다.

그러나 교통단속 카메라가 모든 문제를 해결해주지는 못했다.

"전보다는 확실히 줄었지. 그래도 다는 아니야. 우리 같은 사람은 교통단속에 걸려 5만 원, 7만 원 범칙금만 내도 속이 쓰리던데. 어찌 그놈들은 CCTV를 달아놔도 계속 그러고 다니는가 모르겠네."

범칙금 무서운 줄 모르고 여전히 속도를 내고 달리는 차들이 있는 모양이다. 용산경찰서에서도 꾸준히 순찰하며 개도해나가고 있다. 시일이 지나면 조금 더 좋아지리라 기대한다.

사실 나는 남산 폭주족을 없앤 것으로 만족하지는 않는다. 서울 중심의 남산이 더욱 가치를 발했으면 좋겠고 남산을 품고 있는 마을들이 더 살기 좋아지길 바란다. 코로나19 팬데믹은 우리의 생활을 많이 바꾸어놓았다. 가까이는 바로 남산 소월로의 광경이 바뀌었다. 저녁 어두워진 어느 즈음부터 조깅복장을 한 청년들이 소월로를 달리는 모습을 자주 보게 되었다. 사회적 거리두기로 저녁 모임이 줄어들고 헬스장 이용도 제약되니 2030 세대들이 홈트족(홈트레이닝), 혼트족(혼자트레이닝)으로 변했다. 나아가 한적한 시간을 택해 소월로를 달리는 청년들도 많아졌다. 동호회에서 만나 삼삼오오 달리기를 즐기기도 한다.

소월길을 달려보면 눈에 보이는 양쪽 모두 장관이다. 한편에는 남산이라는 자연경관이 있다. 신선한 바람이 불어온다. 반대편에는 서울 도심의 전경과 한강이 펼쳐진다. '서울에 이런 곳이 있다니!'라는 감탄이 절로 나올 지경이다. 1990년대부터 서울시가 남산 제모습찾기 사업을 통해 자연과 도시를 동시에 관리해온 노력의 결과이다.

그런데 정작 남산 아래 마을 주민들의 이야기를 들어보면 불만이 이만저만이 아니다. 마을에는 1960년대에 지어져 50~60년을 훌쩍 넘긴 집들이 아직 많이 남아 있다. 아파트를 재건축할 수 있는 기준이 40년이라는 점을 생각하면 50~60년이나 된 단독주택은 그야말로 상당히 낡은 집이다. 그런데 남산최고고도지구로 지정되어 있다 보니 손보기가 쉽지 않다. 특히 다시 건물을 지으려면 고도제한에 걸려 건물을 좁혀야 한다. 지금 집을 조금 넓혀 쓰려고 해도 불법 건축물이 되기 다반사다. 안타깝게도 실제 소월길 주변에는 위법 건축물이 꽤 있다.

'남산제모습찾기'라는 운동은 꽤 훌륭했던 정책이긴 하다. 하지만 실행한 지 약 30년이 지난 지금에도 정책의 내용 하나 바뀌지 않았다는 점은 고민이 필요한 지점이다. 시민을 위해 주민의 재산권을 제약해야 하는 불가피한 경우도 있지만 제도의 발전에 대한 고민 없이 30년을 지속한다는 것은 과도한 측면이 있다고 생각한다. 그리고 소월로를 따라 걷다 보면 오랜 건축물이나 가로수 등으로 경관이 가로막힌 부분이 더러 있다. 그럼에도 모든 구간을 도로보다 아래로 짓게 하는 것은 불합리하다고 생각한다.

정리하자면 그간 획일적으로 규제해온 남산최고고도지구의 관리 방식을 기능적으로 전환해야 한다. 실제로 도시계획관리위원회의 자리에서 도시계획국장에게 여러 차례 건의한 바 있고 면밀한 검토를 통해 발전적인 방안을 모색하겠다고 답변하였다. 이제는 남산도, 주민도, 그곳을 이용하는 청년들과 시민도 모두가 행복한 방향으로 정책이 펼쳐져야 한다. 지속적인 관심과 협조 속에 서울시의 책임 있는 결과물을 기대해본다.

# 청년들이 정책의 주체가 되어 함께 가야 한다

　서울시 생활권계획에서는 용산구를 네 개의 생활권으로 구분하고 있다. 그중 청파·원효 지역생활권은 2020년 기준 인구 7만 4,682명이 거주하고 있는데 세대당 인구수가 평균 2.07명이다. 이것은 용산구 평균 세대당 인구수 2.11명에 비해 낮은 수치이다. 특히 20~39세 인구의 비율이 높은 것으로 나타나는 것이 인구 구조상 신혼부부나 대학생 등 청년층의 비율이 높은 것으로 예상된다.

　용산의 대표적인 대학으로는 숙명여대가 있다. 서울시는 대학과 지역협력을 통해 청년과 지역 주민이 상생하는 지역공동체를 구축하고자 서울형 캠퍼스 타운 사업을 추진하였다. 숙명여대는 2020년 종합형 캠퍼스 타운 사업으로 선정되어 캠퍼스 타운 거점센터를 기반으로 용산 전통시장의 상권 활성화, 청년창업 활성화, 용산 문화벨트 조성 등을 추진해왔다.

얼마 전 일이다. 숙명여자대학교 대학생들과 청년정책을 토론하는 자리를 가졌다. 생각 외로 서울시 정책에 관심이 많았고 정책의 평가에 대해서도 자신들의 의견을 분명하게 표현했다. 아마 서울시는 대학을 선정하고 새정을 지원해주고 무엇보다 요즘 논점이 되는 일자리, 즉 창업을 지원하는 것으로 큰 역할을 하고 있다고 생각했을 것 같다. 그런데 대학생들의 반응은 조금 달랐다. 무엇보다 학교 때문에 이 마을로 오게 된 '마을 신입생'이자 집을 소유하기는 어려운 '세입자'라는 '약자 의식'을 가진 것으로 보였다. 이야기를 듣는 내내 마음이 아팠다. 대학생들도 정책의 주체가 되어 입장을 떳떳이 표현하고 정책의 혜택을 받을 수 있어야 한다. 그러나 아직 우리 사회는 대학생들을 청소년과 같은 미성숙한 상태로 인식하고 공공이 주는 정책을 그저 받기만 하면 된다는 착각을 해온 것은 아닌지 반성이 되는 지점이기도 했다.

대학생들이 제시한 사례는 그야말로 생활 밀착형으로 도움을 구하기 어려운 답답한 상황이라 마음에 오래 남았다. 일례로 청파동에서 자취하는 대학생 A는 자취방 공용 세탁기가 고장이 나서 야밤에 축축한 빨래를 들고 코인 빨래방으로 갔다고 한다. 하지만 집주인 할아버지에게 자신의 불편을 말하기가 망설여졌고 결국 얘기하지 못했다. 대학생 B는 관리비를 내고 있는데도 수도가 얼고 난방 설비가 고장 났다. 그런데 집주인은 수리비를 해주기는커녕 세입자인 대학생 B가 직접 수리를 해야 한다고 주장했다. 이 밖에도 주인집에 불편 사항을 개선해주도록 부탁을 해도 안 들어주는 경우가 빈번했다고 한다.

대학생 C는 몸이 아플 때 타향살이의 서러움을 느꼈다고 한다. 몸은 아픈데 정작 어느 병원으로 가야 할지 몰라 난감했다는 것이다. 새로 둥지를 튼 이 지역에서 4년 이상을 살았지만 필요한 생활 정보를 얻기도 쉽지 않다고 덧붙였다. 정부에서는 창업 지원과 같은 중차대한(?) 일을 지원하고자 하지만 정작 대학생들은 일상생활에 필요한 소소한 정보가 더 시급했던 것이다. 그 밖에도 대학생들은 동네 어르신들과 정보를 나누고 소통할 기회가 많았으면 좋겠다는 의견을 주었고 지역에 사는 동안만이라도 지역공동체 모임에 참여할 의향이 있다는 뜻을 밝히기도 했다.

나는 토론회 내내 활기차게 자신들의 의견을 펴는 대학생들을 보며 '요즘 젊은 사람들'에 대한 인식을 새로이 하게 됐다. 나 역시 장성한 딸을 두다 보니 그네들을 마냥 어리게만 보고 보호가 필요한 존재로만 생각해왔다. 그런데 막상 만나보니 여느 사회인 못지않게 자신들의 입장과 권리를 표현할 줄 알았고 당당하게 의사도 전달해주었다. 그로부터 나는 이제는 내 딸을 포함한 청년들과 대학생들을 어엿한 사회구성원으로서 인정하고 필요한 역할을 해나갈 수 있도록 지원해야겠다는 각오를 다지게 됐다.

마지막으로 그동안 표어를 반복하듯이 "청년을 생각한다!"라고 외쳐온 것이 아닌가 반성해본다. 청년들은 존재만으로도 우리 사회의 미래이다. 캠퍼스 현장에서 '대학생'들을 만나보면 그 진의를 더욱 확실하게 깨닫게 된다. 나를 포함한 기성세대들은 청년들을

사회의 동등한 구성원으로서 존중해주고 참여할 수 있도록 지원해
줄 의무가 있다. 앞 세대들이 충실히 의무를 완수한다면 청년들은
우리 모두의 장래를 더욱 밝게 해줄 것이다. 이러한 믿음으로 나부
터 솔선해 외쳐본다.

"청년이여 함께 가자!"

# 사람이 도시를 만들고
# 도시가 사람을 만든다

"좋은 도시란 한 소년이 그 거리를 걸으면서 장차 커서 자신이 무엇을 하고 싶은지 일깨워줄 수 있는 장소다."

미국 건축가 루이스 칸Louis Kahn이 한 말이다. 루이스 칸은 유대계 미국인이다. 그는 종교와 무관하게 이슬람 국가인 방글라데시의 국회의사당을 설계한 것으로 유명하다. 20세기 포스트모던 건축의 선구자라는 이름에 걸맞게 기하학과 빛을 이용해 매우 멋진 건축물들을 완성했다. 1974년 사망할 때까지 '사람이 사는 환경에 도움이 되는 건축'을 추구했고 학생들을 가르치는 데도 열심이었다고 한다.

"왜 쓸데없이 담을 부수고 색칠이나 하는 데 돈을 낭비합니까?"

나는 도시재생과 관련해 공격적인 질문을 받을 때마다 남루한 변명 대신 루이스 칸의 말을 인용한다. 아이들이 미래를 꿈꾸는 곳이야말로 어떤 투자도 아깝지 않은 곳이다.

몇 해 전 한남초등학교를 둘러보던 때 일이다. 학교위원회 위원들과 운동장을 살피다 뒤를 돌아 학교 전경을 다시 보았다. '초등학교 건물의 외관이 왜 이리 어두운가?'란 생각이 들었다. 아마도 원래 색깔은 파스텔톤이었지 싶다. 하지만 낡고 바래 원래의 밝은 이미지는 온데간데없었다.

"아이들이 좀 더 밝은 곳에서 생활하면 좋지 않을까요?"

이야기를 들은 교장 선생님은 도색을 다시 하면 좋겠는데 예산이 문제라고 하였다. 나는 필요한 예산을 확보하기 위해 교육청과 서울시청을 뛰어다녔다. 그리고 몇 개월 후 초등학교 전체를 밝게 바꾸는 데 성공했다.

해방촌 골목길 개선사업도 상황이 비슷했다.

"도로를 좀 창의적인 곳으로 만들면 어떨까요?"

해방촌 주민들 그리고 구청 관계자들과 만난 자리로 기억한다. 모두가 어안이 벙벙한 표정으로 나를 쳐다보았다.

"왜 그런 거 있지 않습니까? 여고생들이 하늘을 보면서 '와, 오늘은 남산타워가 멋져 보이네, 미래를 위해 오늘은 무엇을 해야 할까?' 하고 막 설레면서 걸어갈 수 있는 그런 길 말입니다."

언변이 서툴러 잘 표현이 되지 않았지만 나는 이런 걸 기대했다. 중고등학생이 밤새 컴퓨터를 해서 몸은 피곤한데 집에서든 학교에서든 공부 좀 하라고 잔소리를 듣다가 일단 골목에 들어서는 순간 내일을 꿈꿀 수 있는 그런 길 말이다. 내일이 희망차고 밝게 느껴지는 그런 골목길이 용산에 있었으면 하는 바람이었다.

얼마 뒤 나는 '해방촌 골목길 개선사업에 대한 공청회'를 열었다. 그 자리에서 시멘트 길에 색 좋은 보도블록을 깔고, 낡은 텃밭에 한 평 정원을 꾸미고, 어둡고 후미진 곳에 예쁜 갓이 쓰인 등을 세우자는 아이디어들이 쏟아져 나왔다. 단순히 그럴듯하게 멋만 내는 게 아니라 골목길에 이야기를 입히고 생명력을 불어넣어 '걷고 싶은 거리'를 만드는 데 모두 의견을 모았다.

용산중학교는 가장 최근에 공을 들인 곳 중 하나다.

교장 선생님께 인사를 갔는데 담벼락이 높아 위화감이 들고 낡게 녹이 슬어 위험해 보였다. 할머니들 몇몇이 담벼락 아래 쭈그리고 앉아 쉬고 계셨는데 보는 내 마음이 아슬아슬했다.

"담벼락을 허물고 낮은 담을 새로 세운 후에 담 앞에 예쁜 벤치를 만들면 어떨까요?"

교장 선생님은 "그렇지 않아도 담이 어둡고 침침해서 보기에도 좋지 않았는데 새로 단장을 할 수 있다면 좋겠습니다."라고 답했다. 역시 예산이 문제였다. 하지만 두드리면 열리게 돼 있다. 의원회관으로 돌아오는 길에, 새 단장을 마친 예쁜 담과 그 아래 놓인 깔끔한 벤치를 생각하니 벌써 설렜다. 의원실에 도착해 바로 전화기를 들고 여기저기 예산 확보에 나섰다. 곧 공사가 시작되면 새 학기에는 멋진 담이 만들어질 것이다.

나는 이렇게 학교와 도로 그리고 도시 곳곳을 새로이 꾸미는 일을 할 때마다 이 일이 우리 모두 특히 자라나는 아이들에게 좋은 일이 되기를 기도한다. 우리 아이들이 단순히 경쟁에서 이기고 돈을 많이 버는 것을 고민하는 것이 아니라 '더 나은 삶, 가치를 실현하는 삶'을 고민할 수 있기를 바란다.

어른들은 왜 열심히 살아야 하는지를 너무 자주 잊어버린다. 코로나19로 경각심이 생긴 듯하지만 아직 고민의 깊이가 깊지 않다. 우리 사회에 경제적 번영이 필요한 이유는 건강과 안녕 그리고 가치의 실현을 위해서이다. 엄밀히 말해 건강과 안녕이 확보되고 모두가 자신의 가치를 실현할 수 있다면 모두가 한 방향으로 경주하듯 내달리는 삶은 살지 않아도 된다. 선후의 문제를 다시 생각해보아야 할 때다.

광화문 교보문고에 가면 항상 보게 되는 글귀가 있다.

"사람이 책을 만들고 책이 사람을 만든다."

나는 이 글귀를 이렇게 바꿔보고 싶다.

"사람이 도시를 만들고 도시가 사람을 만든다."

서울을 멋진 도시로 만든다면 서울이 우리 후손들을 더 멋진 사람으로 키워낼 것이다. 나는 힘닿는 데까지 종횡무진 서울을 뛰어다니고자 한다.

3장

# 세 명의 대통령을 통해
# 정치를 배웠습니다

# 정치란 인간다운 삶을
# 살게 하는 것이다

국어사전에서 '정치政治'를 찾아보면 대표적인 2개의 뜻이 나온다.

1. 나라를 다스리는 일.
2. 국가의 권력을 획득하고 유지하며 행사하는 활동으로, 국민들
   이 인간다운 삶을 영위하게 하고 상호 간의 이해를 조정하며,
   사회 질서를 바로잡는 따위의 역할을 한다.

개인적으로 생각하는 정치란 '모두가 인간다운 삶을 영위하기 위
한 활동'이다. 이 짧은 한 문장을 스스로 완성하기까지 많은 스승이
있었다. 김대중 대통령, 노무현 대통령, 문재인 대통령, 그리고 박원
순 서울시장은 내게 정치란 어떤 것인지 몸소 보여준 분들이다.

물론 이분들을 통해 어깨 너머로 정치를 알아가기까지 개인적

여정이 쉽지는 않았다. 나는 당직자 생활을 시작한 1998년 이전에 국회 의원회관에서 일한 적이 있다. 당시는 '세상을 바꿔보겠다!'라는 다부진 각오가 있었다. 그러나 초임 비서관의 업무는 사실 내게는 벅차고 어려운 것이었다.

1992년 나는 당시 민주당 소속 국회의원이었던 김옥천 의원의 비서관으로 출근했다. 김옥천 의원은 광주광역시 출신이었다. 1981년 제11대 국회의원 선거에서 광주광역시에 출마했으나 낙선했다. 1992년 제14대 국회의원 선거에서 민주당 전국구 국회의원으로 다시 입후보해 당선되었다. 갓 국회에 입성한 만큼 열의가 넘쳤고 해야 할 일도 많았다.

보통 국회의원은 보좌관을 두어 입법 활동과 다양한 업무에 도움을 받을 수 있다. 보통 6~9급 비서, 5급 비서관, 4급 보좌관을 두게 된다. 나는 5급 비서관으로 임용되었다. 사회에 대한 문제의식과 사회복지기관에서 일한 전력 그리고 입법 과정에 대한 열의를 높이 평가해 주었다.

입법비서관의 업무는 초보에게는 힘든 일이었다. 입법 자료도 만들고 데이터도 만들어 보고했다. 당시는 인터넷도 없고 컴퓨터 사용자도 많지 않았다. 대부분 수기 업무였고 자료는 국회도서관을 포함해 각종 아카이브에서 직접 찾아야 했다. 처음에는 일머리를 몰라 한참 애를 먹었다. 일한다기보다 배우는 데 에너지를 다 쏟았던 것 같다.

하지만 나는 젊은 나이에 입법비서관 일을 하면서 국회의 의미와 효용성을 많이 체감했다. 법을 만들어서 실행하면 가장 쉽게 제도 개선이 되었다. 그토록 원하는 사회 변화가 이루어지는 것을 눈앞에서 보고 있으니 크게 감동이 일었다.

그럼에도 어려웠던 점을 꼽자면 국회의원과 나의 관심사가 같지 않다는 것을 실감했을 때다. 국회의원이 참여하는 위원회에 대한 전문성이 매우 높게 필요하다. 당시 김옥천 의원은 예결위원회와 건설교통위원회의 간사를 맡아 활동했다. 관련 비서관과 보좌관 모두 예결위와 건설교통위에 대한 높은 전문성을 갖추어야만 했다. 그러나 앞서 이야기했듯 당시 나의 주 관심사는 '사회복지'였다. 내가 느끼기에 비서관으로서 국회의원이 속한 위원회에 대한 전문성이 떨어진다는 것은 치명적인 결함이었다. 나름으로 열심히 한다고 했으나 부족하다는 생각을 떨치기 어려웠다. 그래서 더 열심히 공부했다. 모르는 것은 물었고 어깨너머로 배우는 것들도 많았다.

그러나 결과적으로 처음 시작했을 때의 기대와 달리 입법비서관의 역할은 내게 큰 만족감을 주지는 못했다. 업무 외에도 안정적이지 못한 직업적 특성 때문에 늘 불안함이 있었다. 지금도 그러하지만 국회의원실로 출근하는 비서, 비서관, 보좌관은 정년 보장이라는 것이 없었다. 일반적인 근무 기간은 국회의원과 같다. 자신을 뽑은 국회의원이 사퇴하거나 면직당하면 그날로 직장이 사라진다. 국회의원과 뜻이 맞지 않아서 그만두거나 권고사직을 당하는 경우도 종종 있다. 다른 국회의원의 비서관이나 보좌관으로 갈 수 있으나 흔한 경우는 아니다. 지금 와서 생각하면 '내가 잘만 했으면 고용 불안 정도는 견딜 수도 있지 않았을까?' 생각도 되지만 당시는 직업에 대한 회의를 느꼈다.

고민이 깊던 1995년에 대한민국에도 내게도 매우 중요한 사건이 일어났다. 바로 김대중 전 대통령이 정계 복귀를 선언한 것이다. 김대중 전 대통령은 1992년 제14대 대통령 선거에서 김영삼 후보에게 8퍼센트 차이로 패배한 후 정계를 은퇴했다. 그리고 3년 만의 복귀였다. 마음 깊은 곳에서 설렘과 기대가 솟아올랐다.

김대중 전 대통령은 어릴 적 나의 우상이었다. 지금도 가장 존경하는 분으로 김대중 전 대통령을 꼽는다. 국회로의 출근을 결정할 때는 존경하는 김대중 전 대통령을 가까이에서 볼 수 있으리라는 기대도 한몫했다. 아버지와 함께 정치연설을 보고 뒷동산에 올라가 웅변 연습을 하곤 했다. 김대중 전 대통령처럼 큰 정치인이 되고 싶다는 욕심을 낸 적도 있었다. 제14대 대통령 선거에서 누구보다 김대중 전 대통령을 응원하고 지지했다. 그러니 결과는 패배로 끝이 났다. 김대중 전 대통령은 정계 은퇴를 선언한 후 영국으로 출국했다.

그런데 약 3년 후 김대중 전 대통령이 다시 한국으로 돌아온다는 소식이 전해졌다. 이때부터 또다시 막연하게나마 김대중 전 대통령을 가까이에서 도울 수 있는 일을 하고 싶다는 바람을 갖기 시작했다. 그리고 천우신조처럼 몇 년 후에 바라던 기회가 찾아왔다.

1998년 나는 김대중 전 대통령이 총재로 있던 새정치국민회의의

'당직자'라는 새로운 길을 걷게 되었다. 이후로 10여 년간 김대중 전 대통령과 한 공간에 머물 기회가 여러 번 있었다. 2009년 8월 김대중 전 대통령이 영면하실 때는 당의 부대변인으로서 조문객을 맞았다. 개인적으로는 매우 소중한 인연이라 생각한다.

# 김대중 대통령의 새정치국민회의 공채 1기이다

　정치인들은 대체로 중요한 사건들을 몇 번 겪고 나서 '정치'라는 남다른 일을 자신의 업으로 선택하게 된다. 내게도 몇 개의 사건이 있었는데 가장 앞선 것이 '김대중의 정계 복귀'였다. 어릴 적부터 아버지를 통해 김대중 대통령이 한 일들을 자주 들었다. 자연스럽게 존경하는 마음이 생기기 시작했고 '나도 커서 큰 어른이 되겠다.'라는 욕심을 내기도 했다. 그러다 철이 들고 내 앞가림을 해야 할 때 정계 복귀 소식을 들었다. 당장 내 앞에 무슨 일이 벌어질 것처럼 기대와 설렘이 있었다. 그리고 실제 내 삶을 바꿔놓는 선택을 하게 됐다.

　1995년 9월 새정치국민회의가 창당했다. 김대중 전 대통령의 정계 복귀 후 2개월 만이었다. 그리고 1998년에는 새정치국민회의 당직자 공개채용이 있었다. 주변을 통해 소식을 전해 들은 나는 망설임 없이 응시원서를 썼다. 어릴 때부터 존경하던 김대중 전 대통령과 함께하는 곳이었기에 마음을 단단히 먹었다. 젊음의 열정이 한몫했다. 합격 후 정말 물불을 가리지 않고 많은 일을 해냈다.

당직자 공개채용은 기업으로 치면 신입사원을 공개 채용하는 것과 비슷하다. 요즘에는 각당에서 연례행사로 당직자 공개채용을 하는 경우가 많지만 당시는 그렇지 않았다. 새정치국민회의의 당직자 공개채용은 신문기사로도 보도될 정도로 이례적인 일이었다. 공채 1기였기 때문에 관심도가 높았던 것도 이유였을 것이다. 현재 경기도 화성에서 활동하고 있는 이원욱 의원(더불어민주당), 권칠승 중소벤처기업부 장관, 황희 문화체육관광부 장관 등도 새정치국민회의 공채 1기로 함께 당직자 활동을 시작했다.

당직자로서 처음 맡은 일은 조직국에서 선거를 진행하는 것이었다. 요즘은 지방정부의 수장이나 국회의원이 임기를 다 마치지 못하면 일정한 시기에 함께 보궐선거를 치르지만 당시는 그렇지 않았다. 국회의원의 자격 상실이 이루어지면 바로 선거가 있었다. 궁극적으로는 후보자를 당선시키는 것이 내가 맡은 주요 업무였다.

나는 선거하면 '전쟁'이라는 말이 가장 먼저 떠오른다. 이기고 지는 것은 죽고 사는 문제이다. 선거는 새로운 정책에 대한 제안의 자리이기도 하지만 그간의 정책에 대한 평가의 자리이기도 하다. 엄중하고 가차없다. 나 역시 죽기 아니면 까무러치기였다. 당시는 정말 죽기 살기로 일했던 것 같다.

'선거에서 이기기 위해서 어떻게 해야 할까?'

일반인들은 후보자의 자질과 정책을 가장 주요한 포인트로 꼽을 것이다. 그러나 직접 선거를 준비하는 사람으로서 자질과 정책은 필요조건이지 충분조건은 아니다. 당에서도 후보자들에게 나름 엄격한 잣대를 들이댄다. 필요조건을 충족하지 않으면 후보자가 될 수 없다. 충분조건을 갖추기 위해서는 후보자뿐만 아니라 당직자들까지 총동원된다.

나 역시 선거가 치러지는 전국을 다녔다. 각종 행사를 주관하는 것은 물론 후보자들이 지역 주민들과 소통할 수 있는 여러 채널을 여는 일도 담당했다. 요즘처럼 SNS가 발달하지 않았던 때였으므로 발품과 손품이 최고의 전술이었다. 정말 인사를 열심히 하고 다녔다.

우리나라에는 중도층이 두껍다. 그들은 평소 당이나 후보를 생각하고 있는 경우보다 후보자의 자질과 당의 정책을 보고 그때그때 표심을 정한다. 그들을 설득하기 위해서는 친근하게 다가가야 하고 홍보도 잘해야 한다. 특히 선거철에 돌입하면 중도층 마음 잡기가 관건이 된다. 당에서는 개인보다는 시스템을 활용한다. 선거에 직접 관여하는 당직자로서는 시스템이 얼마나 잘 짜여 있느냐에 따라 당락이 결정된다는 생각이 들 정도이다. 그러다 보니 조직국에서는 시스템이 잘 짜이도록 지원하고 관리하는 역할을 한다. 지구당의 상황과 민심을 파악해 이를 시스템에 적용한다. 지구당부터 조직을 튼튼히 다져서 전체 시스템이 잘 운용되면 그 선거는 승산이 있다.

당직자로서 특히나 조직국 담당으로 선거에서 당선자를 내는 것은 무엇보다 기쁜 일이었다. 개인적으로는 이 과정을 통해 김대중 대통령의 정치 철학을 완성한다는 데 큰 만족을 느꼈다.

제15대 대통령에 당선된 김대중 대통령은 1998년 임기 초부터 이전 정권과는 다른 정책을 펼쳤다. 전 세계적으로 대한민국의 '수평적 정권 이양'에 관심이 대단히 높았다. 김대중 대통령은 자신이 꿈꿔왔던 대로 정책을 펼쳐나갔다. 가장 큰 변화는 '햇볕정책'으로 표현되는 대북 포용 정책이었다. 대북관계가 빠르게 회복됐다. 이후 이전까지 불법 조직으로 간주됐던 전국교직원노동조합과 민주노총의 합법화를 이루었다. 또 하나 국민 기초 생활 보장법을 제정해서 '생산적 복지'의 토대를 마련했다. 이밖에도 의문사 진상 규명에 관한 특별법, 민주화 운동 관련자 명예 회복 및 보상법, 제주 4·3 사건 진상 규명 및 희생자 명예 회복에 관한 특별법 등 3대 민주 개혁법을 제정했다. 2000년 6월에는 분단 이후 첫 남북 정상회담을 열었는데 이때 김정일 북한 국방위원장과 '6·15 남북 공동 선언'을 발표했다. 이러한 정책들은 모두 김대중 대통령의 의지가 관철된 것이었으나 구체적인 실행을 위해서는 국회의 지지가 필요했다. 김대중 대통령의 정책을 지원해줄 국회의원을 많이 배출해 여당의 자리를 굳건히 하는 것이 우리 당직자들의 1차 목표였다.

다음으로 중요한 것은 언론 환경을 개선하는 것이었다. 정부에서 추진하는 정책들에 대해 올바른 정보를 제공하는 것이 가장 큰 관건이었다. 그때부터 기자들을 포함해 오피니언 리더들을 많이 만났다. 당연히 나와 뜻이 같은 사람만 만날 수는 없었다. 반대 의견을 가진 분들도 많이 만났다.

나는 어디를 가든 어느 자리에서든 많이 듣는 편이었다. 누군가 이야기를 하면 귀를 기울이며 메모를 했다. 그리고 "제가 주신 의견을 잘 정리해서 전하겠습니다."라고 말했다. 당직자 신분으로서 나는 해당 이야기를 누구에게 전해야 할지 잘 알고 있었다. 들은 내용은 반드시 전달했다. 그렇게 차근차근 신뢰를 쌓아나갔다. 강성으로 나오는 분들과는 언성을 높이지 않도록 조심했다. 노식래라는 한 사람이 아니라 당의 한 조직원이라는 생각을 늘 잊지 않고 지냈다.

임기 말까지 김대중 대통령은 인사청문회, 의약분업, 중학교 의무교육 전면 실시, 부패방지법 제정 등 끊임없이 이슈들을 쏟아냈다. 2001년에는 IMF 차입금을 모두 상환했다. 애초 계획보다 3년 앞당겨 IMF 관리 체제에서 벗어나는 큰 성과를 이룬 것이다. 이 역시 세계의 주목을 받았다. 사건이 있을 때마다 딩에서는 적절한 논평을 냈다. 이렇게 이슈를 선점하는 것으로 김대중 대통령의 행보에 후방지원을 했다.

시간이 지나면서 당의 안팎에서는 "당이 많이 현대화됐다."라는 평가가 있었다. 그중에는 여성의 전면 진출도 한몫했다. 1997년 대선에서는 30대 여성인 김현미 부대변인이 스포트라이트를 많이 받으며 큰 화제를 일으켰다. 많은 관계자가 당에도 큰 변화가 일어날 것이라고 짐작했다. 후일담이지만 당시 김현미 부대변인은 2017년

6월에 대한민국 여성 최초로 국토교통부 장관에 임명되었다.

그 밖에도 새천년민주당 창당 시부터 함께 한 이인영, 우상호, 임종석 전 의원도 당의 현대화를 위해 많은 애를 썼다. 인맥과 학맥이 동원되던 풍토가 옅어지면서 정치에 뜻을 둔 젊은이들이 당을 많이 찾아왔다. 2000년 새천년민주당으로 당명이 변경된 후에도 소위 '젊은 피'의 수혈은 계속됐다.

새천년민주당은 2003년 창당한 열린우리당과 2007년 대통합민주신당으로 다시 힘을 합쳤다. 2008년 통합민주당으로 또 한 번 당명이 변경됐다. 그럼에도 불구하고 '김대중 정신'은 현재의 더불어민주당까지 이어져 내려오고 있다.

2009년 8월 무던히 덥던 날 전 국민의 사랑을 받던 김대중 대통령이 돌아가셨다. 향년 85세였다. 김대중 대통령을 떠올리면 많은 이들의 입에서 '파란만장'이라는 단어가 튀어나온다. 김대중 전 대통령은 1970년 대통령 후보로 선출된 후 27년이 지나서야 대통령이 되었다. 그 사이 다섯 번의 죽을 고비를 넘겼고 6년간은 감옥에 있었다. 망명과 연금 생활 등 고초도 이루 말할 수 없다. 노무현 전 대통령의 장례를 치른 지 얼마 안 된 시기여서 개인적인 비통함도 한층 깊었다.

국회의사당에서 치러진 국민장에 많은 조문객이 몰렸다. 당에서 분주히 활동하던 시기여서 나 역시 며칠간은 조문객을 안내하고 전체 일정을 진행하느라 바삐 움직였다. 몇몇 분들은 나를 붙잡고 "김대중 대통령의 부드러운 인간미와 박학한 지식 그리고 돈독

2009년 8월 김대중 전 대통령이 영면하실 때는 당의 부대변인으로서 조문객을 맞았다.

한 신앙인의 삶을 기억합니다."라는 이야기를 꺼내셨다. 개인적으로는 장례위원으로 김대중 대통령을 추모하는 국민과 함께 애도의 시간을 가질 수 있었던 것이 큰 위로가 되었다. 많은 사람이 조문을 마치고 "김대중 대통령의 정신을 기억하고 계승하겠습니다."라는 다짐을 하며 돌아갔다.

"우리는 행동하는 양심이어야 한다. 그런데 정 할 일이 없으면 담장에 대고 고함이라도 질러라!"

요즘도 때때로 김대중 대통령의 자서전을 펼쳐 본다. 나는 자서전에 나오는 이 글을 가장 좋아한다. 많은 사람처럼 나도 그의 정신을 기억하며 실천하고 살고 싶다.

# 전문성을 갖추기 위해
# 마흔에 행정학과에 들어가다

일을 잘 벌이는 것은 나의 천성의 하나인 듯하다. 앞서 이야기했듯 나는 마흔이 훌쩍 넘은 나이에 장가를 갔다. 벌이가 시원찮고 자리가 늘 불안정했던 탓에 결혼도 늦어졌다. 아내는 결혼 후에도 일을 그만두지 못하고 오래도록 출근했다. 게다가 아내는 만학도 남편의 사정을 봐주는 고충까지 감내해야 했다.

1998년 딸아이가 태어나고 얼마 안 됐을 때다. '더 배워야겠다.' 라는 욕심에 덜컥 경기대학교 행정학과에 입학했다. 나로서도 아내로서도 다시 출발점에 선 것이었다. 나보다 아내의 걱정이 컸다. 야간대학생으로 4년간 꼼짝없이 수업을 들어야 했다. 그러나 아내는 두말없이 만학도 남편을 지원해주었다.

4년 동안 정말 충실히 수업을 들었다. 그야말로 주경야독의 생활이었다. 낮에는 일하고 저녁에는 학교에 갔다. 3학년을 마쳤을 즈음에는 "언제까지 학교에 다닐 생각이냐?"는 핀잔을 듣기도 했다. 그즈음에는 아내보다 주변 사람들의 걱정이 더 컸다. 그 와중에 "힘이 들어 제풀에 그만둘 줄 알았는데 그래도 끈질기게 해내는 모습이 대견하다."라는 말을 듣기도 했다.

사실 대학원도 아니고 대학교에 다시 가겠다고 했을 때 만류하는 사람들도 적지 않았다. 그럴 거면 대학원에 가는 게 낫지 않겠느냐는 말도 많이 들었다. 그러나 나는 굉장히 단순하게 생각했다. 내가 원했던 것은 행정에 관한 기초적인 공부였다. 그런데 그런 내용은 대학원에서 가르쳐줄 것 같지 않았다. 나는 기본을 배우기 위해 대학교를 선택했고 20대 청년들과 함께 수업을 들었다. 개인적으로 만족스러운 4년이었다.

내가 대학교를 다시 가야겠다고 생각한 데는 '전문성을 높여야겠다.'라는 욕심이 한몫했다. 그때까지 오래 당직자로 일을 하면서 '이후 어떤 길을 가야겠다.'라는 비전을 세우지 못했다. 단순무식하게 현재 하는 일에 모든 에너지를 쏟았다.

부대변인이 되기 전까지 나의 주 업무는 소속 의원들을 지원하는 것이 대부분이었다. 국회의원뿐만 아니라 서울특별시장, 광역시장, 특별자치시장, 도지사, 시장, 군수, 구청장 등 대상이 다양했다. 그럼에도 당의 지원을 받는 사람들의 공통점이 하나 있었다. 대다수가 행정부와 지방정부의 실무자들을 상대하며 일을 해야 한다는 점이다. 요약하자면 나는 입법기관이나 지방정부의 수장들과 일하는 실무자들을 지원하지만 그들은 행정가들을 상대해야 한다.

결국 나 역시 행정 업무에 해박하지 않으면 지원업무를 제대로 할 수가 없다. 실제로 지원업무 초기에는 중앙과 지방정부의 업무 체계를 몰라 지원 과정에서 엇박자를 내기도 했다. 이때부터 나는 행정을 배워야 한다는 생각을 하게 됐고 몇 년을 묵힌 후에 실행에 옮기게 된 것이다. 굳이 경기대학교를 선택한 이유도 단순했다. 여의도와 가까운 곳을 골랐다. 경기대학교는 지하철 5호선 충정로역 인근에 있는데 여의도에서 채 10분이 걸리지 않았다. 오가는 시간이 많이 들지 않았다. 집까지도 멀지 않아 그나마 아내의 잔소리를 덜 들을 수 있었다.

행정학과 수업에서 특히 재미있던 부분은 '지방자치'였다.

지방자치란 지방분권과 주민참여를 목표로 하는 정치제도이다. 우리나라는 1952년 지방자치를 하기 시작했으나 1961년 중단되었다가 1991년에야 부활시켰다. 1991년 지방의회 기초선거가 치러졌고 지방의회 개원식도 열렸다. 그러나 새로운 제도의 도입만으로 지방분권과 주민참여라는 목표가 완성되지는 못했다.

지방분권만 해도 김영삼 정부 이래 큰 노력을 기울였으나 체계적인 설계는 노무현 정부 때 들어서야 마무리되었다. 김영삼 정부는 '지방이양합동심의회'를 김대중 정부는 '지방이양추진위원회'를 설치했으나 위원회 수준에서 벗어나지 못했다. 그런데 십수 년이 흐른 지금에는 '자치경찰제'까지 도입이 되었고 전국적으로 '시민참여예산제'도 활성화되었다. 변화의 속도가 매우 빠르다는 것을 체감하게 된다.

나는 지방자치를 배우며 지방자치야말로 주민 삶의 질을 실질적으로 끌어올릴 수 있는 정책이 아닌가 생각하게 됐다. 예를 들어 낡은 담장을 새로이 꾸민다거나 가로수를 정비한다거나 학교의 도서관을 리모델링하는 일은 정부나 지방정부에 민원을 넣는 형태로는 진행하기가 쉽지 않다. 중앙정부는 소통의 거리가 멀고 지방정부는 일을 벌일 예산이 많지 않다. 지방자치는 이러한 행정상의 문제를 해결할 수 있다.

물론 지방의회가 활발한 활동을 하는 것이 중요하다. 지방의회의 의원들은 해당 지역 출신이므로 해당 지역의 문제점을 누구보다 잘 안다. 주민들과 소통도 수월하다. 지방정부는 필요한 사업이 있을 때 중앙정부에까지 요청해 사업을 추진할 수 있다. 주민들이 필요로 하는 정책을 생산하는 데도 지방자치제는 매우 효율적이다. 중앙정부나 국회의원을 만나는 데는 아무래도 문턱이 높을 수밖에 없다. 지방정부와 지방의회는 주민들의 목소리가 닿는 곳에 있다. 주민들에게 정말 필요한 내용을 청취해서 정책으로 생산할 수 있다. 나아가 '시민참여예산제'가 활성화된다면 확보된 예산을 자신이 사는 곳의 문제를 해결하는 데 쓸 수 있다. 당연히 주민 삶의 질도 좋아질 수밖에 없다. 이런 상상을 하며 나는 지방자치의 매력에 깊이 빠져들었다.

공부 재미에 빠졌던 탓에 장학금도 여러 번 탔다. 물론 월급의 상당액을 학비로 쓰기도 했지만 장학금 덕에 아내에게 면을 세울 수 있었다. 젊은 동기들과도 사이가 좋아 과 대표도 하고 모임도

2004년 경기대학교 행정학과 졸업 기념 사진. 내가 원했던 것은 행정에 관한 기초적인 공부였다. 그런데 그런 내용은 대학원에서 가르쳐줄 것 같지 않았다. 나는 기본을 배우기 위해 대학교를 선택했고 20대 청년들과 함께 수업을 들었다. 개인적으로 만족스러운 4년이었다.

많이 이끌었다. 나의 본업이 사람들을 모아서 조직을 만들고 시스템화하는 것이었기 때문에 그리 어렵지 않았다.

나는 행정학과 졸업 이후 공부 덕을 톡톡히 보았다. 5년 전 LH 이사를 하게 됐을 때나 서울시의원 당선 전 용산구청장 비서로 출근을 하게 됐을 때 바로 실무에 뛰어들 수 있었다. 행정 시스템의 원리와 특징을 이해하고 있었으므로 쉽게 업무에 적응할 수 있었다. 결정적으로 그때 공부의 맛을 제대로 본 덕분에 몇 년 전 연세대학교 공학대학원에도 겁 없이 입학원서를 쓰지 않았나 싶다.

# 노무현 대통령의 정치 실천에 함께하다

"개인적으로 가장 기뻤던 선거는 언제입니까?"

물론 정치인은 자신의 선거에서 이길 때가 가장 기분이 좋다. 그러나 나의 경우 조금 남다른 선거가 있다. 바로 노무현 전 대통령과 치른 대통령 선거이다. 나는 평소 눈물이 적지 않은 편인데, 2002년 12월 23일 노무현 후보의 당선 소식을 들었을 때는 정말 원 없이 울었다. 지금 생각해도 내 선거에서 이겼을 때보다 더 기뻤던 것 같다.

노무현 전 대통령은 새천년민주당의 제16대 대통령 후보였다. 잘 알려져 있다시피 대통령 후보가 되기도 쉽지 않았다. 당시 나는 중앙선거대책위원회에서 일했다. 후보자 선출 전에는 공보실 부국장 자격으로 후보자들과 후보자 선출을 위한 전국 대의원대회(경선)를 함께 다녔다.

노무현 대통령 새천년민주당 후보자 시절. 중앙당 행사에서 진행 상황을 보고하고 있다.

새천년민주당 경선은 '역사상 최초 국민참여 대통령 후보 경선'으로 국민의 관심이 대단했다. 오프라인에서는 2002년 3월 제주를 시작으로 16개 시도를 돌며 유세를 펼쳤다. 그 사이 신거인단을 모집했는데 3만 5,000명 모집에 190만 명의 지원자가 몰려 경쟁률만 55대 1이 되었다.

솔직히 지역 유세 전까지도 노무현 후보를 잘 아는 사람이 많지 않았다. 사후에 많이 회자된 1988년 노무현 의원의 첫 대정부질문을 본 사람도 당시로는 별로 없었다.

"제가 생각하는 이상적인 사회는 더불어 사는 사람. 모두가 먹는 것, 입는 것 이런 걱정 좀 안 하고 더럽고 아니꼬운 꼬락서니 좀 안

보고 그래서 하루하루가 좀 신명나게 이어지는 그런 세상이라고 생각을 합니다. 만일 이런 세상이 좀 지나친 욕심이라면 적어도 살기가 힘이 들어서 아니면 분하고 서러워서 스스로 목숨을 끊는 그런 일은 좀 없는 세상 이런 것이라고 생각을 합니다."

당시 그의 질문은 의원들의 반발 때문에 길게 이어지지 못했다. 이후 진행된 5공 청문회에서 노무현 의원은 일약 스타가 됐지만 그는 주류로 안착하지 못했다. 3당 합당에 분개해 김영삼 전 대통령과 결별하고 야당 의원으로서 출마했으나 줄곧 낙선했다. 1996년 15대 국회의원 선거에서도 종로구에 출마했다가 이명박 후보에게 패배했다. 2년 뒤 이명박 의원이 선거법 위반으로 재판을 받게 되자 보궐선거에서 국회의원으로 당선됐다. 그리고 그를 알아본 김대중 대통령에 의해 해양수산부 장관에 임명된 것이 2000년 8월이었다. 이후는 대통령 후보로 세상에 이름을 알렸다.

그러나 노무현 전 대통령의 남다른 이력을 알게 된 것은 후의 일이다. 후보 시절 나 역시 그가 고졸 출신이라는 점, 인권 변호사를 했다는 점, 이전에 부산 국회의원 선거에서 몇 번의 낙선을 했다는 점 외에는 특별한 정보를 갖고 있지 않았다. 그런 상태에서 노무현 후보가 노무현 대통령 후보로 확정되는 과정을 옆에서 지켜보는 것은 그야말로 한 편의 드라마를 보는 것과 같았다. 처음에 거의 존재감이 드러나지 않았던 그가 과반 득표에 성공해 후보자가 되었을 때 나 역시 승리의 환호를 외쳤다.

당시 상황을 설명하자면 새천년민주당의 경선이 시작되고 한동안은 누구도 기호 2번 노무현 후보가 이인제, 한화갑, 김근태, 정동영 등 인지도가 높은 후보들을 제치고 대통령 후보가 될지 상상하지 못했다. 누군가는 한 편의 드라마라고 했고 누군가는 역사의 명장면이라고 했다.

개인적으로 가장 잊히지 않는 것은 4월 포항실내체육관에서 열린 경북지역 경선 유세 때 나온 연설이다. 앞서 이인제 후보가 노무현 후보의 장인의 좌익 활동을 문제 삼으며 '사상 검증'이 필요하다고 공세를 퍼부었다.

"제 장인은 좌익 활동을 하다가 돌아가셨습니다. 제가 결혼하기 훨씬 전에 돌아가셨는데, 저는 이 사실을 알고 제 아내와 결혼했습니다. 그리고 아이들 잘 키우고 지금까지 서로 사랑하면서 잘살고 있습니다. 뭐가 잘못됐습니까? 이런 아내를 제가 버려야 합니까?

그렇게 하면 대통령 자격이 있고 이 아내를 그대로 사랑하면 대통령 자격이 없다는 것입니까? 여러분, 이 자리에서 여러분께서 심판해주십시오. 여러분이 그런 아내를 가지고 있는 사람은 대통령 자격이 없다고 판단하신다면 저는 대통령 후보를 그만두겠습니다. 여러분이 하라고 하면 열심히 하겠습니다."

정말 우레와 같은 박수와 함성이 쏟아져 나왔다. 그때 판이 달라졌다고 생각했다. 경선 시작 전 부동의 지지율 1위는 이인제 후보였다. 노무현 후보는 지지율 한 자릿수의 군소 후보였다. 그러나 유세가 계속될수록 무명의 정치인은 대중들에게 사랑받는 대통령 후보가 되었다. 모든 연설이 국민으로부터 뜨거운 지지를 받았다.

새천년민주당 공보실 부국장 시절. 노무현 대통령 당선 직후 기념 촬영.

내가 느끼는 노무현 후보의 주 무기는 진실성과 진정성이었다. 그의 연설을 들으면 누구라도 그가 진실과 진정으로 대화하고 있다는 것을 느낄 수 있었다. 덕분에 노무현 후보가 새천년민주당의 대통령 후보로 선출되었다.

중앙당 당직자로서 나는 정말 눈코 뜰 새 없이 바쁜 날들을 보냈다. 노무현 후보가 새천년민주당의 정식 대통령 후보가 되고 그에게 보고할 일이 자주 생겼다. 박빙의 승부였으므로 언론전이 중요했다. 그러나 선거일까지도 모든 것이 쉽지 않았다. 선거 전날 정몽준 전 후보가 지지 철회 선언을 하면서 모든 것이 물거품이 될 거라는 위기감이 찾아오기도 했다. '이회창 대세론'에 갑자기 기름을 붓는 것은 아닌가 노심초사였다. 이전부터 그때까지 여론조사는 엎치락뒤치락 반복이었으니 상황은 더 엄중했다. 기자들에게 자료를 돌리고 현장에서 밤샘하던 나조차도 난국이 어떻게 끝을 맺을지 알지 못했다.

투표일 아침부터 밤까지 어떻게 하루를 보냈는지 잘 기억나지 않는다. 밥 한 톨 물 한 모금 넘기기가 어려웠다. 투표를 마치고 몇 시간 후 언론사 출구조사 발표에서 '노무현 우세 발표'가 있었다. 나는 당직자들과 얼싸안고 그 자리에서 울었다. 정말 기뻤다. 여느 국민처럼 좋은 대통령이 될 거라 기대했고 좋은 대한민국이 되기를 바랐다. 다음날 발표된 개표 결과에도 이변은 없었다. 48.91퍼센트 대 46.58퍼센트로 노무현 후보가 제16대 대한민국 대통령이 되었다.

# 좋은 정치인들을 만나
# 곁에서 보고 배웠다

당에서 '대변인'은 당을 대신해 의견이나 태도를 표하는 역할을 한다. 개인적 의견과 생각에 앞서 당의 의견과 생각을 표현하는 자리이다. 그만큼 무거운 자리이다.

조직부장과 총무부장을 거쳐 부대변인 직책까지 맡게 됐다. 부대변인은 자타가 공인하는 당의 중심이었다. 무거운 자리에 서게 되어 내 마음 역시 가볍지 않았다. 당시 염동연, 우상호, 최재성 의원 등과 일할 기회가 많았다. 그분들이 강하게 나를 추천했다는 이야기를 들었다.

비교적 연배가 높은 염동연 의원은 노무현 대통령 선거 당시 호남조직 총괄을 거쳐 전국 조직을 총괄했다. 2021년에『둘이서 바꿔봅시다』를 출간하며 노무현 전 대통령의 최측근으로서 지난 시대를 정리하기도 했다. 당시는 당의 좌장으로서 역할이 상당했다.

전당대회와 최고위원 선거에서 염 의원을 많이 도왔다. 부대변인 시절에는 염 의원의 도움을 많이 받았다.

우상호 의원은 부대변인 발표 후 직접 전화를 해 "축하합니다." 라는 말과 함께 이런저런 격려를 해주었다. 우상호 의원으로서도, 제17대 국회의원으로 국회에 입성해 처음으로 대변인이 된 상황이었다. 자신과 손발을 맞출 사람으로 나를 추천한 것이었다. 우상호 의원과의 인연은 지금까지도 계속되고 있는데 대소사를 챙기는 것은 물론 선거 때마다 와서 축사를 해주는 등 정치 선배의 역할을 톡톡히 해주고 있다.

최재성 의원은 지금까지도 관계가 매우 돈독하다. 최재성 의원 역시 2004년 노무현 대통령의 탄핵 국면에서 제17대 국회의원으로 의회에 입성했다. 이후 나와 최재성 의원은 동고동락하는 시간이 상당했다. 최재성 의원이 당의 사무총장을 맡던 시절 나는 사무부총장을 맡았고, 최재성 의원이 지방선거 총책임으로 활약할 때 나는 총괄실장을 맡았다. 강산이 한 번 바뀌고 또다시 새로운 시기를 준비하는 지금까지도 깊고 두터운 인연이 계속되고 있다.

조직부와 총무부가 당의 내부를 관장하는 곳이라면 부대변인은 내부와 외부 모두와 소통하며 의견을 피력해야 하는 자리였다. 언론을 상대하고 논평을 내는 일이 주 업무였다. 언론에 노출이 많이 되다 보니 일명 유명세라는 것도 생겨 내부적으로는 '탐을 내는 이'가 많은 자리이기도 했다. 하지만 자리만 놓고 보면 정무직으로 안정적인 급여가 보장되는 자리는 아니었다. 일종의 명예직인 셈이다. 당시 우리 당은 오랫동안 척박한 언론 환경에 놓여 있었다. 낮은 자세로 임하겠다는 각오로 부대변인 업무를 시작했다.

부대변인이 되고 내 삶은 본격적인 3D 업무에 돌입했다. 매일 회의가 8시에 있었다. 전날 기사들을 스크랩해서 회의 시간에 들고 가야 했다. 고정 출근 시각은 7시였다. 나는 보통 5시에 눈을 떠서 집을 나섰다. 1시간 정도 운동하고 아침을 먹은 후에 사무실로 갔다. 기자들을 상대하며 술자리가 많은 상황에서 '체력관리'는 필수였다. 몸이 좋지 않아 얼굴까지 검게 변해갔다. 살아야 한다는 일념으로 아무리 컨디션이 안 좋아도 운동은 빼먹지 않았다.

부대변인의 논평은 공격이 되기도 하고 수비가 되기도 한다. 그때그때 이슈에 맞게 의견을 개진했다. 솔직히는 즐거웠던 기억보다 씁쓸했던 기억이 더 많다. 보수 언론에 둘러싸인 진보 정치인의 숙명이었다. 억울한 일을 당하고도 제대로 해명할 기회를 찾지 못할 때는 그야말로 애간장이 탔다.

2006년 10월 열린우리당 김근태 의장님을 모시고 개성공단을 방문했을 때 일이다. 점심을 먹으려 함께 북측에서 준비한 식당으로 갔다. 식사 중에 공연이 진행되는, 우리로서는 다소 생소한 분위기의 식당이었다. 북측 관계자들이 와서 공연에 동참해달라고 부탁했다. 자리에서 일어나 손뼉을 치고 어깨춤을 추는 정도였다. 부탁을 거절하기도 어려운 상황이라 김근태 의장은 장단을 맞춰주는 정도의 춤을 췄다. 그런데 그 상황이 9시 뉴스에 다소 악의적으로 편집돼 방영됐다. 상대 당은 북한에서 핵 실험을 단행하는 와중에 여당의 의장이 하면 안 되는 행동을 했다며 김근태 의장이 의장 직에서 물러나야 한다고 강하게 비판했다.

바로 "점심시간 때 북한 안내원의 권유에 못 이겨 춤을 춘 것"이 라고 사실관계를 브리핑했으나 여론의 뭇매는 쉽게 사그라지지 않 았다. 상황이 매우 안 좋게 돌아갔다. 개인적으로 평소 존경하던 김근태 의장님이 예기치 않은 논란으로 비난을 받는 것이 안타까 웠다. 김근태 의장님도 본인의 행동으로 인해 당과 대통령에게 누 를 끼치게 될까 걱정하는 눈치였다. 나로서는 부대변인이라는 타 이틀을 갖고 있음에도 언론에 제대로 된 진의를 전달하지 못하는 상황에 몹시 속이 탔다.

내게 김근태 의장은 조금 특별한 분이다. 2011년 병마와 싸우다 돌아가셨을 때도 찾아가 한참을 울었다. 김근태 의장님이 재야 단 체에서 활동하며 수배와 투옥을 반복하고 1985년 민청학련 사건 으로 '짐승의 시간'으로 불리는 23일간의 고문을 당했던 일은 잘 알려져 있다. 그 고초를 겪고 국회의원이 되고 복지부 장관을 거쳐 2006년에 열린우리당 의장이 되었다. 젊은 시절의 모진 고초 때문 인지 의장 시절에도 몸이 좋지 않았다. 그럼에도 수수한 옷에 평범 한 음식을 먹었다. 유독 순두부를 좋아해서 즐겨 드셨던 기억이 난 다. 그런데 식사 중에는 팔을 많이 떨었다. 고문의 후유증이 역력 했다.

김근태 의장님은 내게 늘 수고한다는 인사를 해주었다. 나 이외 당직자들의 얼굴을 기억하고 인간적으로 대우해주었다. 그런 모습

김근태 열린우리당 당대표와 함께 정선을 찾아 수혜복구에 손길을 보탰다. 내게 김근태 의장은 조금 특별한 분이다. 2011년 병마와 싸우다 돌아가셨을 때도 찾아가 한참을 울었다. 나는 부대변인으로 힘든 시절이 많이 있었다. 그럼에도 보람 있던 일을 꼽으라면 '좋은 정치인'들을 꽤 많이 만났다는 점이다.

이 참으로 존경스러웠다. 정치적 사안에 대해서는 촌철살인의 명검으로 옳고 그름을 분별하였다. 그럼에도 사람만큼은 누구와도 척지시 않고 겸손한 자세로 대하였다. 그런 분의 고초를 앞에서 보면서도 도움이 되지 못해 죄송하기 그지없었다. 급기야는 함부로 말하는 언론과 사람들이 야속하기도 했다.

이후로도 부대변인으로 힘든 시절이 많이 있었다. 2007년 제17대 대통령 선거와 2012년 제18대 대통령 선거 모두 부대변인 자격으로 치렀다. 2015년 사무부총장으로 일하기 전까지 참 많은 논평을 냈고 여러 사건에 휘말리기도 했다. 그럼에도 보람 있던 일을 꼽으라면 '좋은 정치인'들을 꽤 많이 만났다는 점이다. 특히 일일이 이름을 부르기 힘든 많은 신예 정치인들의 성장을 가까운 거리에서 볼 수 있었다.

우리 사회의 정치인들에 대한 선입견은 좋지 않다. 국민이 준 권력으로 사리사욕을 채우는 것을 너무 많이 봐왔다고 이야기한다. 틀린 말이 아니다. 실제 많은 사건사고가 있었다. 그러나 모든 정치인이 그렇지는 않다. 본인의 뜻을 세우기 위해 정당에 들어와 의지를 관철시키고 약자들 편에서 필요한 법들을 만드는 정치인들도 많이 있다. 과거보다 나은 오늘, 사회 정의를 바로세울 수 있는 투명한 시스템을 갖추고 있는 현재가 그 증거이다. 더 나은 미래를 만들겠다는 의지로 세상을 바꾼 정치인이 없었다면 오늘날의 대한민국은 이만큼 발전하지 못했을 것이다.

어쩌면 그때 각자의 바람대로 각자가 원하는 사회를 만들어가는 정치인들을 바라보며 나의 마음속에서도 '나도 저런 정치인이 되고 싶다.'라는 동경이 시작되었는지 모르겠다.

# 인재 영입이라는
# 막중한 임무를 수행하다

2015년 당은 새정치민주연합에서 '더불어민주당'으로 당명을 바꾸었다. 그리고 2016년에는 제20대 총선이 있었다. 야당으로서 약진이 필요한 시기였다. 그리고 승리하는 선거를 위한 첫 단추가 인재 영입이었다.

당시 나는 서울특별시장 보궐선거를 치르고 얼마 지나지 않아 당의 사무부총장으로 임명됐다. 많은 일을 해야 했다. 그중 가장 벅차고 막중한 임무가 '인재영입' 실무 활동이었다. 인재 영입을 총괄하던 최재성 의원은 남다른 혜안을 갖고 있었는데, 나는 당 안팎의 사람들과 소통하며 주요 인사를 만나러 다니는 실무를 담당했다.

"영입 대상자와 당의 관계에서 당은 언제나 반 걸음 앞에 있어야 합니다. 영입 대상자와 잘 조율하되, 영입 대상자의 과도한 요구에

2016년 더불어민주당의 인재 영입을 마치고 영입 인재들과 함께.

끌려다녀선 안 됩니다. 당의 지침을 잘 전달하고 영입 대상자가 이를 수용할 수 있도록 조력해야 합니다."

당의 미래에 대해 큰 그림을 그리고 단계별로 인재 영입을 진행하는 것이 우리의 과제였다. 나는 조용히 주요 인사들을 만나러 다녔다. 당시 활용할 수 있는 인맥과 직책은 모두 동원했던 것 같다. 체육계 출신들에게는 서울시체육회에서 일한 이력을 소개하며 인사를 나누었고, 언론인 출신으로 용산에 사무실을 둔 인사에게는 같은 지역민이라며 인사를 건넸다. 재계 인사를 만날 때는 돌직구를 택했다. 기업인으로 공개된 전화번호로 전화해서 비서에게 이름을 남겼다. 대부분 한 번 연락해서는 회신을 받기가 어려웠다. 두 번 세 번 전화했고 괜찮다면 찾아가 만났다. 설득 그리고 설득의 과정이었다.

"드라마 같은 데 보면 '이번에 자리 하나 주시죠!'라며 공천을 부탁하는 사람들도 많이 나오던데 그런 사람들을 만나신 적은 없나요?"

인재 영입 활동을 하는 걸 알고 있던 지인들은 이런 질문을 했다. 나는 가볍게 손사래를 치고 "그런 일은 절대 없습니다."라고 화답했다.

나 같은 당직자에게 먼저 연락하는 때도 없거니와 설사 먼저 연락이 온다고 해도 만날 의향이 전혀 없었기 때문이다. 인재 영입의 원칙은 인재를 충원해서 당의 외연을 확장할 수 있도록 하는 것이다. 자리가 탐나서 오는 사람이 필요한 것은 아니었다. 그가 정치가로서 가능성이 있고 당도 그를 통해 성장할 수 있는 인재가 정말 필요했다.

인재영입위원으로 활동할 때 가장 기억에 남는 이는 양향자 의원이다. 당시 더불어민주당의 '인재 영입 7호'로 스포트라이트를 많이 받았다. 개인적으로 처음 만나기 전부터 양 의원에 대한 자료 조사를 많이 했다. 당시 삼성전자의 메모리사업부 플래시개발실 상무였는데 알면 알수록 매력이 있는 인물이었다.

양향자 상무는 광주여상을 졸업했다. 졸업 후 1985년 삼성전자 기흥연구소에 입사해 반도체 메모리설계실 연구보조원으로 일을 시작했다. 대부분의 여상 졸업생들처럼 처음에는 주로 잡일을 했다. 그러나 성실하고 의욕이 넘쳤던 양향자 상무는 잡일에 만족하지 않았다. 반도체라는 어려운 분야의 전문 용어를 익히고 일본어도 배워 일본에서 오는 기술자들의 통역까지 맡았다. 그렇게 스스로의 전문성을 갖춰나가니 회사에서도 무턱대고 교육과 승진에서 배제만 시킬 수는 없었디. 양향자 상무는 여상 졸업생 중 처음으로 사내 대학에 다녔고 석사학위도 땄으며 특허도 출원했다. 그렇게 스스로 수많은 유리천장을 깨고 앞으로 나갔다. 그 결과 고졸 출신의 첫 여성 임원이라는 타이틀을 얻게 됐다. 개인적으로도 그러한 백그라운드를 가진 분이라면 정치를 해도 전문성을 갖춰 매우 잘해 낼 것이라는 믿음이 생겼다.

처음에는 비서실로 연락을 했다. 그리고 몇 번 찾아가 만났다. 양향자 상무는 처음에는 고사의 뜻을 밝혔다. 현역 국회의원들을 소개해드릴 테니 만나서 이야기를 들어보라고 해도 거절했다. 그런데 어느 날 직접 전화를 걸어왔다. 현역 국회의원을 만나 이야기를 들어보겠다는 대답이었다.

나중에 양향자 의원은 자신이 왜 마음을 바꾸게 됐는지 간략히 알려주었다. 믿고 의지하던 상사분과 이런저런 이야기를 하는 중에 정계 입문에 관해 이야기했단다. 상사는 정치가 아니더라도 뭔가를 해봐야 하지 않겠냐는 제안을 했다고 한다.

"나이 오십이면 지천명인데 그쯤 되면 인생에서 의미 있는 턴을 해도 좋지 않을까?"

이야기를 들은 양향자 전무는 그때부터 다양한 가능성을 고민하게 됐고 정계 입문에 대해서도 다시금 생각하게 됐다고 한다. 이후 양향자 상무를 다시 만난 곳은 수원 아주대학교 앞에 있는 한 만화방이었다. 되도록 눈에 띄지 않으면서 담소를 나눌 수 있는 장소를 물색하다 발견한 곳이었다. 양향자 상무 입장에서도 자택과 가깝고 젊은이들과 섞일 수 있어 괜찮을 것 같았다. 양향자 상무 그리고 최재성 의원의 첫 만남은 그렇게 이루어졌다. 그리고 얼마 뒤 인재 영입 리스트에 양향자 상무의 이름을 올릴 수 있었다.

이 밖에도 표창원 경찰대 교수를 비롯해 유영민 전 포스코 경영연구원 사장, 오기형 동북아경제 전문 변호사, 하종열 한국안보통일연구원장, 김병관 웹젠이사회 의장, 오성규 전 서울시 시설관리공단 이사장, 권미혁 전 한국여성연합 대표, 김민영 전 참여연대 사무처장 등 합리적이고 개혁적인 인사들이 새롭게 더불어민주당에 참여했다.

물론 나는 이보다 많은 인물을 만나러 다녔다. 그중 상당수가 "정치는 하지 않습니다."라며 고사의 뜻을 전했다. 하지만 당시 정계에 입문해 지금까지 선전하는 국회의원들도 여럿 있다. 지금도 그들을 만날 때나 소식을 들을 때마다 상당한 보람을 느낀다.

# '더불어 콘서트'로
# 또 한 번의 잔치를 벌이다

　　2016년 4월 제20대 국회의원 선거가 있었다. 또 한 번의 전쟁을 치를 생각에 일찍부터 건강관리에 들어갔다. 그런데 '더불어 콘서트'라는 의외의 행사 덕분에 또 한 번의 전쟁이 아니라 잔치로 마무리가 됐다. 제20대 총선 전에 활발히 진행됐던 더불어 콘서트는 지금까지도 우리나라의 정치 대중화에 크게 기여했다는 평가를 받고 있다. 그 이야기를 좀 길게 해보려 한다.

　　당시 더불어민주당의 공약은 '더불어 함께 살아가는 사회'였다. 불안, 불평등, 불신은 국민이 느끼는 가장 큰 사회문제였다. 기득권을 가진 세대나 계층만이 잘사는 세상이 아니라 모두가 기회를 얻고 인간다운 삶을 누릴 수 있는 사회를 만들겠다고 약속했다. 야당으로서 공약을 알리고 국민과 소통할 수 있는 창구가 많지 않다는 것이 고민이었다. 당내에서는 기존의 관행대로만 해서는 승산이 없다는 비판의 목소리도 있었다.

"가수들만 콘서트합니까? 우리도 콘서트할 수 있습니다!"

그 대안으로 나온 것이 더불어 콘서트였다. 당시만 해도 정치 콘서트는 파격에 가까웠다. 그러나 야당 입장에서 파격이냐, 아니냐를 따질 여력은 없었다. 개인적으로는 오히려 파격이 나아 보였다. 새로 영입된 인재들을 국민에게 소개하면서 공약도 알릴 절호의 기회였다. 내부 토론을 거쳐 외부 연출팀의 도움을 받아 도시를 순회하는 더불어 콘서트를 기획하고 진행됐다. 메인 스피커는 당시 영입 인재 1호로 관심을 한몸에 받았던 표창원 전 경찰대 교수가 맡았다.

"부산 야도입니까? 부산 야도 맞습니다. 그런데 말입니다. 야당의 도시입니까? 야구의 도시입니까? 둘 다입니까?"

현장은 그야말로 팔딱팔딱 살아 있는 활어 같았다. 표창원 전 경찰대 교수는 특유의 입담으로 좌중을 압도했다. 준비하는 사람도 참가한 사람도 절로 신이 났다.

개인적으로는 부산에서 했던 연설이 기억에 많이 남는다. 표창원 전 교수는 야구협의회를 만들겠다고 나선 최동원 선수를 소개했다. 그리고 그가 정치계에 뛰어든 후 야당(민주당)을 선택한 이야기를 풀어냈다. 지역 특색에 맞는 소재들을 준비하는 성실함과 재미있는 입담 그리고 확실한 메시지 전달까지 입을 다물지 못하고 이야기에 빠져들었던 기억이 난다. 표창원 전 교수 외에도 영입된 인재들이 많이 단상에 올랐다. 2박 3일 영입 인재 워크숍을 마친

더불어 콘서트에서 메인 스피커는 당시 영입 인재 1호로 관심을 한몸에 받았던 표창원 전 경찰대 교수가 맡았다.

뒤라 분위기가 더욱 좋았다.

　더불어 콘서트가 성공한 데는 여러 요소가 한 데 묶인 것도 요인이 됐다. 연설과 이야기에만 집중하지 않고 음악도 넣고 퍼포먼스도 넣었다. 그야말로 잔치처럼 모두의 재능을 한 데 섞었다. 막간을 이용해 청중들과 게임을 하기도 했다. 공 넘기기나 춤을 추는 단체 행동을 통해 결속력을 다졌다.

　한 곳 한 곳 이동하면서 더불어 콘서트는 크게 입소문이 났다. 흥행몰이에 성공하면서 지역마다 차이가 있기는 했지만 한 장소에 평균 1,000명 안팎의 시민들이 모였다. 당원뿐 아니라 일반인도 참석해 열기를 높였다. 행사를 준비하고 진행하는 사람으로서 '소통이 되고 있다는 것'을 느낄 수 있어 가장 좋았다.

더불어민주당 지도부와 나는 인재 영입 이후 김종인 대표와 전국투어를 다니며 지역 유세를 도왔다.

연사들의 주제도 매우 다양했다. 통일 문제, 세금 문제, 인권 문제 등 전문 분야에 대해 허심탄회하게 이야기를 나누었다. 당연히 콘서트를 마치고 나면 여운이 남았다. 많은 시민이 이야기를 듣고 공감했으며 후에 정치적으로 힘을 보태주었다. 단순 유세에서는 얻기 힘든 성과였다.

더불어 콘서트에 이어서 치러진 제20대 총선은 당과 당원들 모두에게 큰 의미가 있는 선거였다. 더불어 콘서트를 진행하고 곧이어 유세단 부단장으로 합류했다. 정말 일복이 넘친 한 해였다.

더불어민주당은 2016년 1월 문재인 대표 체제에서 김종인 선거대책위원장 체제로 전환됐다. 문재인 의원이 당 대표에서 물러나

더불어 콘서트와 제19대 대선에서의 승리는 당과 당원들 모두에게 의미 있는 성과였다.

고 원외 인사였던 김종인 선거대책위원장을 추대했다. 그만큼 우
리는 '승리'에 목이 말랐다. 기존의 민주당계는 더불어민주당과 국
민의당으로 분리되어 표 분산이 나타날 것이 확실시됐다. 그만큼
더불어민주당의 승리를 점치기가 어려웠다.

　더불어민주당 지도부와 나는 인재 영입 이후 김종인 대표와 전
국투어를 다니며 지역 유세를 도왔다. 새로운 얼굴들을 통해 민주
당이 스스로 혁신하고 있다는 인상을 심었다. 유세 현장에서도 "민
주당에 힘을 실어주어야 정부의 잘못된 정책을 바로잡을 수 있습
니다!" 목소리를 높였다.

　2016년 4월 13일 제20대 국회의원 선거가 치러졌다. 더불어민

주당은 1석 차이의 신승을 거두며 원내 제1당이 되었다. 더불어민주당이 123석을 확보했다. 새누리당이 122석, 국민의힘이 38석, 정의낭이 6석을 얻었다. 어느 때보다 기뻤다. 선거란 현 정부를 평가한 것이기도 하다. 당원들은 "국민이 더불어민주당을 제1당으로 뽑아주신 데는 기존 여당에 대한 냉정한 평가가 담겨 있다. 열심히 해서 국민의 선택에 보답하도록 하자!"라는 목소리를 냈다. 국민의 성원은 2017년 치러진 제19대 대통령 선거에서 정권교체를 이루는 초석이 되기도 했다.

더불어 콘서트와 제19대 대선에서의 승리는 당과 당원들 모두에게 의미 있는 성과였다. 2016년의 불편한 사건들에 이은 성과였기에 더 의미가 있었던 것 같다.

2016년 9월 20일 『한겨레신문』에는 재벌들이 출현해 만들어진 미르재단과 K스포츠재단에 최순실이 관련됐다는 보도가 실렸다. 이어서 10월에는 문화예술계 블랙리스트 사건이 터졌다. 당시 박원순 서울시장은 "블랙리스트가 사실이라면 박근혜 대통령을 탄핵해야 합니다."라는 주장을 펴 탄핵정국의 포문을 열었다. 촛불집회가 계속 이어졌다. 그리고 불과 몇 개월 후인 2017년 3월 10일 탄핵 심판에 의해 박근혜 대통령은 자연인의 신분으로 돌아왔다.

2017년 5월 9일 제20대 대통령 선거에서 더불어민주당의 문재인 후보가 승리했다. 문재인 대통령은 2012년 선거에서 한 번의 패배를 맛보았으나 두 번째 도전에서는 승리했다. 당의 승리이기도 했다.

2017년 대통령 선거 운동 기간 중 문재인 후보의 김구 선생 묘소 참배를 동행했다.

더불어 콘서트부터 제20대 대통령 선거까지 안팎에서 문재인 대통령을 자주 뵈었다. 말수가 많지 않은 분이었다. 한 번은 영입 인재들과 공덕동에 있는 닭갈비 집에서 저녁을 준비했다. 마침 생일이라 직접 준비한 꽃과 떡을 드렸다. 가족들과 함께 드시라는 의미였다. 닭갈비를 앞에 두고 영입 인재들과 소탈하게 먹는 모습이 보기 좋았다. 마음 한편에서 '저렇게 친근하고 예의 바른 이가 우리나라의 지도자가 되어도 괜찮겠다.'라는 상상을 했다. 불과 몇 달 만에 나의 상상은 현실이 되었다.

4장

부모님과 친구들과 노동자들을
통해 삶을 배웠습니다

# 부모님의 삶을 통해
# 선의의 참뜻을 배우다

나는 학교는 오래 다녔지만 소위 말하는 '가방끈 긴 사람'과는 거리가 멀다. 형제들과 달리 똑똑한 머리를 갖고 태어나지 못했다. 배우는 것이 느리고 그래서 오래 더 학교에 머물렀던 듯싶다.

내게 인문학은 동경하지만 부족하다고 느끼는 분야다. 인문人文이 '인간의 무늬'라는 뜻을 품고 있다는 것을 알았을 때 절로 무릎을 쳤다. 인간의 무늬 나아가 인간의 결 혹은 인간의 동선을 나타내는 학문이라니 어찌 동경하지 않을 수 있겠는가!

돌이켜 보면 나는 세상을 살아가는 방법을 책이 아니라 부모님을 통해 배운 듯하다. 언어, 문학, 역사, 철학 등 인문학이 가르치고자 하는 것은 '사람다운 삶'일 것이다. 그러나 나는 이러한 모든 것들을 부모님을 통해 배우고 깨쳤다. 지금도 좋아하는 선의善意라는 말 역시 부모님의 삶을 통해 배웠다.

우리 세대는 대부분 아이들을 많이 낳았다. 나 역시 일곱 남매 중 하나로 자랐다. 당시는 집집마다 애들이 많았다. 7남매가 유난스럽지 않았던 시절이다. 아버지는 참 온화한 분이었다. 할아버지는 원래 충남 서천군 기산면에서 한산모시 유통업을 하다가 호남의 정읍으로 가서 정착하였다고 한다. 아버지는 정읍에서 자라서 부안에서 산 어머니와 혼인하였다. 아버지는 유독 7남매를 아끼셨다. 그리고 특별히 교육에 공을 들였다. 형과 누나들은 중고등학교 때부터 서울로 유학을 갔다. 덕분에 다섯째인 나는 늦게까지 부모님 곁에 머물 수 있었다.

어머니는 7남매 아이들을 키우느라 바빴다. 당신도 7남매의 장녀였다. 결혼 후에도 동생들을 돌보았다. 형과 누나들이 서울로 간 빈자리는 외삼촌과 이모들로 채워졌다. 어머니는 밥을 해서 먹이는 일을 중요하게 생각하였다. 누구 하나 굶기지 않으려 새벽부터 밤늦게까지 늘 분주하였다.

부모님에게 큰 힘이 됐던 건 큰누나였다. 내가 사춘기 무렵에 큰누나는 서울에서 고등학교를 마치고 제일은행에 입사해 행원이 됐다. 당시로서는 최고의 직장이어서 부모님의 자랑이 대단했다. 이웃들로부터 부러움을 사기도 했다. 그도 그럴 것이 큰누나는 때마다 집에 가전제품을 사 나르고 서울에서 생활하던 형제들도 뒷바라지했다. 아버지의 공무원 월급으로는 빠듯할 수밖에 없었던 가정 형편에 큰누나의 헌신은 모두에게 큰 도움이 됐다.

또 어린 내 눈에 우리 가정이 좀 특이하게 느껴졌던 것은 집 안

초등학생 때 가족사진

에서 아버지와 집 밖에서 아버지의 분위기가 사뭇 달랐던 점이다. 아버지는 정읍경찰서로 출근하였다. 내가 사춘기를 겪을 즈음에는 형사과장인가 수사반장인가 하는 직책을 맡았다. 공교롭게 1971 년 MBC에서 최불암이 출연한 〈수사반장〉이 방영되고 상당한 인기를 끌었다. 덕분에 우리 집은 수사반장네로 불리기도 했다. 나는 '콜롬보'처럼 사건을 해결하는 최불암이 멋있다고 생각했다. 덕분에 '수사반장네 다섯째'라는 별칭도 기분 나쁘지 않게 들었다.

경찰서로 향하는 아버지의 모습은 늠름 그 자체였다. 아버지는 키가 크지 않았고 등치가 있는 편도 아니었다. 그런데 밖에 나갈 때는 항상 어깨를 펴고 다녔다. 집에서 7남매를 온화하게 안아주던 모습과는 천양지차였다.

아버지 지인분들은 아버지가 6·25전쟁에 참전했던 이야기를 자주 했다. 지역 전투경찰대 대대장으로 참전해 큰 공로를 세웠다고 한다. 휴전 후 경찰에 입문했는데 남다른 강한 인상으로 범죄자를 쉽게 제압한다고 했다. 수사업무가 많다 보니 주로 사복 차림으로 다녔는데 당시로서는 상당한 멋쟁이었다. 컬러풀한 의상에 선글라스를 썼던 모습은 아직도 기억에 남는다.

다만, 집밖에서 아버지를 만날 때는 쉽게 어리광을 피울 수 없었다. 아버지는 딱 봐도 절도가 있었다. 당시는 그런 아버지의 모습이 낯설었다. 내가 아버지의 낯선 모습을 이해하기 시작한 것은 장성한 후였다. 백발로 환갑잔치를 맞은 아버지는 "내 손으로 교도소에 보낸 범죄자들이 출소해서 너희들한테 해를 끼칠까 봐 항상 노심초사였다."라는 이야기를 들려주었다. 직업적으로 아버지의 고충이 상당했을 거 같았다. 그리고 가족들에게 해가 되는 일이 일어나지 않기를 바랐을 마음을 그제야 짐작할 수 있었다.

집 안에서 아버지는 어머니만큼이나 헌신적이었다. 외할아버지가 일찍 돌아가신 후 아버지는 외갓집 식구들까지 사랑으로 돌보았다. 외삼촌들의 일자리도 손수 알아봐주었다. 정읍시청과 보건소 등에서 자리를 잡은 외삼촌들은 아버지에게 늘 감사의 마음을 표현하였다.

안타깝게도 아버지는 내가 장성하고 얼마 되지 않아 돌아가셨고 어머니는 약 4년 전에 돌아가셨다. 나도 결혼해 딸아이를 낳아 키

윘고 이제 대학교 졸업을 앞둘 만큼 장성했다. 그럼에도 부모님의 젊었을 적 모습이 자주 떠오른다.

어릴 때는 단지 학교에서 나눠주는 옥수수죽과 빵을 먹지 않아도 될 정도로 형편이 나쁘지 않은 것이 다행스러웠다. 그러나 커서는 '선의로 사람을 대하는' 부모님을 보고 자란 것이 늘 감사했다. 독하고 모진 구석이 없어서 손해를 볼 때가 더러 있다. 아내에게 "오지랖이 넓어."라는 지청구를 들을 때도 많다. 하지만 그럼에도 나는 부모님이 몸으로 가르쳐준 대로 행하면서 산다. 시의원이라는 오지랖을 원 없이 부릴 수 있는 자리에서 욕심껏 주변을 살필 수 있게 된 것 역시 부모님의 선의 덕분이라고 생각한다.

# '말고개 친구들'을 통해
# 정의와 평등을 배우다

소년 시절 남다른 추억 한두 가지 없는 사람이 어디 있으랴. 정
읍 시골에서 나는 개구쟁이로 자랐다. 그런데 초등학교 고학년이
되고부터 '정의와 평등은 무엇인가?'란 질문을 마음에 품게 됐다.

초등학교 5학년 조회 시간이었던 것으로 기억한다. 나는 수업 시
작종이 울렸는데도 교실로 들어가지 않고 단상 아래로 갔다. 지금
은 초등학교로 이름이 바뀐 정읍동초등학교의 단상 아래였다. 교
장 선생님의 훈화 말씀이 막 끝난 뒤였으나 학생주임 선생님이 다
시 교단으로 올라가 안내 방송을 하셨다.

"말고개 사는 애들은 단상 앞으로 모이세요."

당시 말고개는 우리 집에서도 멀지 않은 곳이었다. 외할머니와
외삼촌이 사는 매우 친숙한 동네였다. 방학이면 외할머니댁에 가
서 감자를 캐거나 깨 타작을 도왔다. 당연히 친구들도 많았다. 나

는 말고개 친구들을 보러 단상으로 다가갔다. 이미 20~30명 아이가 모여 있었다.

"자, 말고개 아이들 다 모였나? 그럼 다들 눈을 감고……. 어제 교무실에서 물건 가져간 사람은 조용히 손을 들어라."

학교 규율을 담당하던 학생주임 선생님은 아이늘의 삼은 눈을 확인하고 손을 드는 아이가 없는지 유심히 살폈다. 그렇게 1~2분쯤 시간이 흘렀다. 손을 드는 아이는 없었다. 선생님은 실망한 얼굴로 아이들에게 교실로 돌아가라고 하였다. 아이들은 각자 교실로 흩어졌다. 뭔지 모를 씁쓸한 마음을 가진 나도 교실로 돌아갔다.

그날 나는 이 일에 대해 누구에게도 이야기를 하지 못했다. 아이들도 무심히 넘기는 듯했다. 그러나 집으로 돌아오는 내내 이 사건을 떨쳐버리지 못했다. 그 마음은 지금까지 계속되고 있다. 조회가 끝나고 단상 아래에는 내가 얼굴을 아는 네댓 명의 친구들이 있었다. 그 친구들과 나는 반은 달랐지만 수시로 어울려 놀았다. 아이들이 집으로 돌아간 교실에서 나무 바닥 사이에 떨어진 동전이 없는가 살피기도 했다. 그런 친구들이 선생님으로부터 도둑이라는 의심을 사고 있었다. 그런데 나는 아무것도 하지 못했다. 친구들이 눈을 꼭 감고 서 있는 모습을 지켜보았던 나 자신이 부끄럽고 수치스러웠다.

'왜 말고개 친구들만 남으라고 하셨을까?'

처음에는 의구심이 들었으나 이유는 쉽게 찾을 수 있었다. 말고개는 당시 저소득층 가정들이 모인 대표적인 곳이었다. 특별히 누구랄 것도 없이 모두가 가난한 시절이었음에도, 말고개에 사는 애들은 거의 도시락을 싸오지 못할 정도로 형편이 좋지 않았다.

당시 학교에서는 도시락을 싸오지 못하는 학생들을 위해 옥수수죽과 빵을 배급했다. 점심시간이 되면 반의 일부가 교탁을 향해 줄을 섰다. 친구들은 어머니가 싸준 도시락을 꺼내는 내게 "너희 집은 잘살아서 좋겠다."라는 말을 하곤 했다. 사실 도시락이라고 해봐야 별다른 반찬이 있는 것도 아니었다. 하지만 나는 아침마다 도시락을 싸주는 어머니가 계시다는 것만으로 어깨가 으쓱했다. 어머니가 없는 친구들도 더러 있었고 어머니가 있어도 여러 사정으로 도시락을 못 싸오는 친구들이 많았다.

말고개 아이들은 옥수수죽과 빵을 배급하는 줄에서 거의 빠지지 않았다. 가난하다는 이유로 한부모 가정에서 자란다는 이유로 쉽게 '편견과 선입견'의 피해자가 되었다. 철이 없었던, 그래서 세상에 무지했던 내게 가난하다는 이유로 도둑 취급을 받을 수 있다는 것은 너무도 큰 충격으로 다가왔다.

당시 나의 생활은 학교와 집 그리고 교회가 전부였다. 어머니는 독실한 크리스천으로 당신이 낳으신 7남매에게 예수님의 가르침을 늘 가르쳤다. 아직도 기억한다. 어머니는 늘 "예수님은 가난하고 어려운 사람들을 특별히 사랑하셨다."라고 말씀했다. 그때만 해도 나는 그 가르침이 세상에도 그대로 적용되리라 생각했다. 현실이 그렇지 않다는 것은 일종의 배신이었다. 그리고 이후로 '내가 모르는 다른 세상이 존재한다.'라는 것을 알아차렸다. 그 세상에는 선입견과 불공평이 존재했다.

나는 정계에 입문하고 난 뒤 자주 "우리가 지켜야 할 정의란 무엇인가?"란 질문을 접한다. 나의 대답은 늘 간단하다. "차별 없는 세상"이다. 초등학교 조회 시간과 같은 일을 다시 겪고 싶지 않기 때문이다. 더불어 누구도 그러한 상황의 피해자로 놓이게 하고 싶지 않기 때문이다.

수년 전 하버드 대학교의 마이클 샌델 교수가 쓴『정의란 무엇인가』가 베스트셀러에 오르며 큰 반향을 일으켰다. 정의에 대한 도덕적·철학적 그리고 사회적 담론이 쏟아져 나왔다. 그러나 지금까지도 나는 비교적 이른 나이에 정립된 '나의 정의正義에 대한 정의定意'를 그대로 고수하고 있다.

예나 지금이나 나는 특별히 정의로운 사람이 아니다. 인권이나 평등에 관한 생각 역시 상식 수준을 벗어나지 못한다. 그러나 편견과 선입견에 사로잡히는 것만은 경계한다. 그래서 말과 행동으로 누군가에게 상처를 주지 않았는지 수시로 반성하고 기도한다.

# 어머니의 기도가
# 부족한 아들을 성장시키다

어릴 적 나는 노는 것을 무척 좋아했다.

여름과 가을에 친구들과 서리를 하는 것은 큰 재미였다. 그래도 태어나길 간이 작게 태어난 나는 해봐야 '망보기' 정도였다. 그래도 친구들은 나를 잘 끼워주었다. 한여름에는 과수원에서 덜 익은 사과를 따다 먹고 가을이 되면 고구마를 캐다 구워 먹었다. 농가에 손길이 부족해서였는지 아니면 꼬맹이들 장난은 이해해주던 인심 덕분인지 우리는 한 번도 걸리지 않았다. 철이 들기까지 개구쟁이로 지냈다.

당시 서울에서 초중고교를 다니고 경희대학교에 진학했던 둘째 누나는 그런 나를 못마땅해했다. 방학이면 내려와 나를 방에 가두고는 알파벳을 가르치거나 수학 문제를 풀게 했다. 내가 화장실이 급하다고 해도 봐주지 않았다. 어린 나는 그런 누나가 그렇게 야속

내가 삐뚤어지지 않고 성장하게 된 데는 '어머니의 기도'가 큰 역할을
하지 않았나 싶다.

할 수 없었다. 지금도 미국에 사는 누나와 가끔 통화를 할 때면 "노
는 것이 최고인 초등학생 동생에게 어찌 그리 엄하기만 했느냐?"
고 뒤늦은 투정을 부리곤 한다.

철이 들고 나의 유년기를 돌아보면서 '가장 큰 영향을 미친 것이
무엇일까?' 고민해본 적이 있다. 그나마 삐뚤어지지 않고 성장하게
된 데는 '어머니의 기도'가 큰 역할을 하지 않았나 싶다. 나는 크리
스천이다. 어릴 적부터 주일이면 어머니와 함께 교회에 갔다. 어머

니도 모태신앙을 가진 분은 아니었다. 기억에 작은어머니가 어머니에게 교회에 가자고 전도했던 것 같다. 작은어머니와 교회에 갔다 온 어머니는 그 길로 그리스천의 삶을 살았다.

주일이면 옷을 깨끗이 갈아입고 어머니를 따라 정읍제일교회에 갔다. 당시로서도 규모가 있는 역사가 오래된 교회였다. 교육 커리큘럼도 잘 갖춰져 있었다. 어머니는 형제 누구 하나 소홀함 없이 교리를 배우도록 했다. 어릴 적 내가 상상한 예수님의 모습은 신비로움 그 자체였다. 다섯 개의 떡과 물고기 두 마리로 5,000명을 먹였다는 기적은 동화 속 이야기 같았다. 목사님이 수시로 말씀하신 "예수님이 어렵고 가난한 이들을 위해 이 땅에 오셨습니다."라는 말에 깊이 감동했다.

정읍을 떠날 때까지 나는 학교와 집 그리고 교회라는 울타리 안에 살았다. 자연스럽게 교회 학생회 활동에 대부분 시간을 썼다. 어머니가 독실한 크리스천인데다 교회에서 오래 머물다 보니 "목사님이 되는 게 어떻겠느냐?"는 제안도 많이 받았다. 처음에는 당황했으나 어느 순간부터 '내가 합당한 사람인가?' 스스로 물어보게 됐다.

당시는 잘 몰랐으나 모두가 가난했던 시절이다. 그리고 가난은 아이들을 일찍 철들게 했다. 친구 중에는 고등학교 진학은커녕 중학교 진학도 못 하는 애들이 있었다. 사회에 빨리 진출했고 각자의 몫을 해냈다. 친구들의 모습을 보며 예수님이 함께하면 좋겠다고 생각했다. 서슴없이 하나님 이야기를 꺼냈고 함께 교회에 가자고 했다. 주변 모두 내가 교회에 다니는 것과 하나님을 믿는다는 것을 알았다. 상황으로서야 내가 성직자가 된다고 해도 이상할 게 하나도 없는 분위기였다. 그러나 나는 선뜻 뜻을 세울 수 없었다.

당시 내가 생각하는 성직자란 하나님만 바라보고 헌신하는 사람이었다. 시간이 지나면서 약간의 융통성이 생기기는 했지만 이러한 생각은 지금도 변함이 없다. 그러나 그 기준에 나는 흠결이 너무나 많았다. 세상 사람들은 잘 모를 수 있어도, 내가 아는 나의 흠결을 하나님이 모르실 리 만무했다. 나는 성직자가 되는 것은 나의 길은 아니라고 결론을 내렸다.

예나 지금이나 나는 사람을 너무 좋아한다. 어릴 때도 하나님과 교회를 좋아하는 만큼 사람들도 좋아했다. 이런 성향 때문인지 시골보다는 도시가 좋았다. 특히 어릴 적 정읍 촌놈이었던 내게 서울은 동경의 도시였다.

방학 때면 형과 누나들은 따라 서울에 올라왔다. 형과 누나들은 대학입시를 앞두기 전까지 방학 때면 정읍 집에 내려왔다. 개학을 며칠 앞두고야 서울로 다시 올라갔다. 나는 늘 형과 누나들을 따라나섰다. 형과 누나들이 살던 전셋집은 성북동 어딘가에 있었다. 당시도 서울은 서울이었다. 서울역에서 성북동으로 가는 그 길이 내게는 별천지였다. 형과 누나들의 잔소리와 구박이 아무리 심해도 서울이 좋았던 나는 꿋꿋하게 귀향을 거부하기 일쑤였다. 언젠가는 정읍에 내려갈 때가 다 되자 머리가 아프다고 꾀병을 부렸다. 큰누나는 꾀병인 줄도 모르고 나를 데리고 고려대학교 병원까지

갔다. 또 한 번은 개학했는데도 정읍에 내려가지 않겠다고 떼를 써 형과 누나들은 물론 부모님까지 곤혹스럽게 했다. 결국 며칠 늦게 정읍으로 내려가 호되게 꾸지람을 들었다. 지금도 그때를 생각하면 미안함에 얼굴이 붉어진다.

내 눈에 나의 성향은 성직자의 삶과는 맞지 않았다. 세상에 남아 사람들과 어울리며 뜻을 이루는 편이 훨씬 맞아 보였다. 어릴 때 어머니께서 주변의 권유나 내 마음의 갈등 같은 것을 알았을지는 모르겠다. 교회에 오래 계셨으니 여기저기서 "식래가 목사님 되면 어떨까?" 하는 이야기를 들었을 것이다. 그러나 특별히 내색하지 않았고 묵묵히 기도만 했다. 어머니는 그저 "착하게 살아라."라고만 했다. 어머니의 바람은 그저 자식들이 선하게 사는 것이었다. 이를 위해 늘 기도했다.

살아 보니 착하게 사는 일은 쉬운 일만은 아니었다. 세상이 험해서라기보다 내 마음을 붙잡기가 어려워서 그랬다. 나도 세상의 욕심에 휘둘리지 않기 위해 어머니처럼 기도한다. 특히 형편이 어려운 사람, 사정이 억울한 사람, 도움이 절실히 필요한 사람을 만났는데 생각만큼 큰 도움이 되지 못할 때는 기도밖에 답이 없다. 어머니의 기도를 떠올리며 그들을 위해 기도한다. 내가 어머님의 기도를 붙들고 이만큼 살아왔듯이 나의 기도도 선한 길을 가는 누군가에게 도움이 되기를 바란다. 수십 년 전 정치라는 새로운 세계에 발을 들여놓을 때도 신앙에 비추어 부끄러운 활동이 되지 않게 해달라고 기도했다. 다행히 지금도 그때의 욕심대로 정치를 하고 있다.

'예수님이 하셨던 모든 것이 정치다. 공동체에서 상부상조하는 것도 가난한 사람들을 돌보고 배고픈 사람에게 먹을 것을 나눠준 것도 정치다. 나는 모두가 잘살 수 있는 공동체를 만드는 정치를 하겠다!'

주일마다 교회에서 나는 물어본다.

'다짐대로 살아가고 있는가?'

때로는 부끄럽고 때로는 하소연이 올라온다. 하지만 결국 반성하고 기도하며 나의 길을 가고 있다.

# 야학에서 만났던
# "차장 누님들, 잘 계시죠?"

　1989년 연말 TV에서는 한 해를 정리하는 뉴스가 쏟아졌다. 그런데 유독 내 눈길을 끄는 뉴스가 있었다. 바로 오랫동안 젊은 여성들의 직업으로 자리잡아 온 '버스 차장'이라는 직업이 사라진다는 소식이었다. 나는 20대 야학에서 만났던 여러 버스 차장의 얼굴이 떠올랐다. 10년 세월이 무색하게 너무도 선명하게 한 명 한 명의 얼굴을 떠올릴 수 있었다. 마음 한편에서는 걱정과 그리움이 밀려왔다.

　'공부를 열심히 해서 대학까지 졸업했을까?' '동생들을 다 가르치고 좋은 짝을 만나 시집을 갔으려나?' '벌써 30대 중반이니 애들이 초등학생은 됐겠네.'

　나는 정읍에서 서울로 거처를 옮긴 갓 스무 살 청년 때 버스 차장 누님들을 만났다. YMCA 서클 활동 중에 야학을 맡게 되었다.

일주일에 한 번씩 버스 차고지의 기숙사에서 버스 차장 누나들을 만나 공부를 가르치는 일을 했다. 대부분 나보다 나이가 서너 살 이상 많았다. 그들은 피곤함이 역력한 얼굴이었으나 늘 웃음기가 있었고 반가워했다. 그들과 이야기를 나누고 세상을 알아가면서 나 역시 소년의 때를 벗고 사회에 관심을 기울이는 청년으로 성숙해 갔다.

스무 살 나는 참으로 어리숙했다. 그런 내게 서울은 그야말로 동경의 도시였다. 대학에 입학했을 때는 꿈에 그리던 서울 생활이 시작됐다는 것에만 심취했다. 형 그리고 누나들과 함께 서울살이한다는 것이 너무 좋았다. 그러나 들뜬 마음은 오래 가지 못했다. 낯설고 물선 곳에서 새로운 사람들을 만나 새로 사귄다는 것이 생각만큼 쉽지 않았다. 당시 대학에는 술로 친해지는 문화가 만연해 있었다. 그러나 어머니를 닮은 나는 체질적으로 술을 잘 못 했다. 술을 마신 다음 날은 어김없이 속이 부대꼈다.

어느 날 나의 새내기 생활을 살피던 누나들이 동아리 활동을 권했다. 당시 경희대학교 보육학과에 다니던 둘째 누나와 성심여자대학교 교육학과에 다니던 셋째 누나 모두 YMCA에서 동아리 활동을 하고 있었다. 둘째 누나는 훗날 매형이 된 남자친구도 그곳에서 만났다. 누나는 내게 "레크리에이션을 배워두면 사회에 나가 봉사활동을 다닐 때 큰 도움이 될 거야."라며 YMCA 활동을 추천해주었다. 기독교 교리 안에서 뜻이 맞는 사람들을 만날 수 있다는 생각에 선뜻 가입했고 학년이 올라가면서 YMCA 대학생 연합회장까지 하게 됐다.

내가 YMCA 대학생 연합회 중 가입한 서클은 '등대'였는데 주요 활동 중 하나가 '야학'이었다. 남녀가 섞인 대여섯 명의 친구들과 매주 토요일마다 동대문구 전농동에 있는 운수회사의 차고지를 찾았다.

당시 운수회사는 운전사와 차장의 원활한 채용을 위해 기숙사를 제공했다. 대부분 차고지 바로 옆에 있었다. 우리는 그 기숙사의 식당에서 '버스 차장(당시는 안내양이라고도 불렀다)'으로 일하던 20대 초중반의 여성 노동자들을 만났다.

버스 차장이라는 직종은 1980년대 후반 요금을 선불로 받는 '자율버스제도'가 도입되면서 자연스럽게 사라지기 시작했다. 그러나 이전까지 버스 차장은 버스를 타면 만나게 되는 친숙한 얼굴이었다. 버스를 타는 승객들은 버스 차장에게 요금을 냈다. 학생들이 쓰는 회수권이나 토큰도 모두 버스 차장이 받았다. 차장은 승객의 승하차를 관리하고 출발 신호를 알리는 일도 담당했다.

당시 버스의 문은 수동이거나 반자동이었기 때문에 버스가 멈추고 출발할 때마다 일일이 손으로 열고 닫아야 했다. 차장은 승객이 다 타고 내리면 문을 잠그고 버스를 두드려 기사에게 출발 신호를 보냈다. 차장들이 출발을 알리는 "오라이~"라는 말은 지금도 친숙하다. 우리가 운수회사를 찾았을 때는 1970년대 말이었는데 버스 차장들로서는 나름 전성기 중의 전성기였다. 일자리도 많았고 인원도 많았다.

YMCA에서 주관한 야학은 버스 차장을 상대로 한 것이었다. 우리가 가르치는 것은 그리 대단한 내용이 아니었다. 중학교 수준의 국어, 수학, 영어가 다였다. 그런데도 버스 차장들은 피곤한 기색을 감추며 웃는 얼굴로 우리를 맞아주었다. 그러다 피곤이 몰려올 때는 레크리에이션도 하고 대화도 나눴다. 내학생활이 어떤지 이런저런 정보도 전해주었다.

처음에 나는 '감히 내 주제에 남에게 뭔가를 가르쳐주게 되다니……'라며 감개무량한 마음이 들었다. 버스 차장 중에는 검정고시를 준비할 만큼 공부에 열의가 있는 이도 있었고 대학생들이 온다기에 호기심을 느껴 나와 보는 이도 있었다. 그래도 분위기는 좋았다. 나이로 따지면 20대 초중반이었다. 그래도 나보다는 나이가 많아 누나 뻘이었다. 고구마나 감자 같은 것을 삶아서 같이 먹을 때는 친누나와 함께 이야기를 나누는 것처럼 편안했다. 그렇게 이런저런 사는 이야기를 나누다가 그네들의 삶을 가까이서 듣게 되는 일도 자주 생겼다. 이야기를 다 듣고 난 뒤에는 어김없이 '나와 이들은 분명히 서울이라는 한 공간에 살고 있는데 삶의 모양이 이렇게나 아주 다르구나.' 하는 안타까운 마음이 들곤 했다.

1980년대를 목전에 둔 당시 내 눈에 비친 서울은 활력이 넘쳤다. 모든 사람이 바삐 움직였고 밤이면 시골에서는 보지 못했던 네온사인이 반짝였다. "빨리빨리"를 외치는 사람들은 늘 어딘가로 뛰어다녔다. 모두가 그렇게 열심히 살 수가 없었다. 이제 갓 성인이 됐으나 아직 사회생활은 해보지 않은 내게 서울의 이런 분위기는 너무도 흥에 넘쳐 보였다. 자연스럽게 도시의 화려하고 멋진 모습에 심취했다. 그런데 운수회사에서 일하는 여성 노동자들은 이런 서울의 모습을 볼 겨를이 없었다. 운행을 마치고 돌아오면 한밤중이었고 내일의 운행을 위해서는 한시라도 빨리 잠을 자야 했다. 새벽 공기는 차가웠다. 사람들은 그들에게 친절하지 않았다. 당연히 서울은 그들에게 각박한 삶의 터전일 뿐이었다.

지금도 어리고 학력이 높지 않은 도시노동자에게 도시는 참 팍팍한 곳이다. 여성에게는 더 심각하다. 우리가 만났던 버스 차장은 대부분 초등학교나 중학교를 간신히 졸업하고 서울로 상경한 여성들이었다. 그네들은 돈을 벌어서 자신의 앞가림을 하려고 하지 않았다. 모두 지방에 있는 가족들을 먹여 살리거나 장성한 동생들을 가르치기 위해 돈을 벌었다. 그네들의 일은 고되고 생활에는 여유가 없었다. 휴일도 없이 거의 매일 일을 했다. 새벽 첫차부터 마지막 회차까지 버스를 타고 나면 다리에 힘이 다 빠져 자다가도 앓는 소리를 한다고 했다. 가끔 쉬는 날이 돌아와도 서울 구경은 쉽지 않았다. 기숙사비를 제하고 받은 월급 대부분을 시골집에 보내기 때문에 자신들을 위해 쓸 돈이 별로 없었다.

이전까지 나는 시골에서의 가난만 힘들고 어려운 일이라고 생각했다. 그런데 버스 회사에서 일하는 여성 노동자들을 만나고 나서는 도시 생활의 어려움이 더하다는 것을 알게 됐다. 내가 살던 정읍에는 소위 '인심'이란 것이 있었다. 좁은 집에 손님이 찾아와 당장 잘 곳이 없으면 이웃집에서 하룻밤 신세를 져도 괜찮았다. 당장

쌀이 떨어지면 앞집 옆집에서 꾸어 한 끼를 해결하곤 했다. 그런데 도시의 빈자들은 기대고 의지할 곳이 없었다. 모두에게 낯선 곳이 었으니 정을 쌓을 곳도 없었다. 버스 회사의 차장들이 처한 상황이 그러했다.

동기들과 나는 1년 넘게 야학에 다녔다. 학년이 올라가면서 다음 기수에게 바통을 넘겨주고 나서는 연합회장 일에 집중해야 했다. 버스 차장과의 헤어짐은 짧았다. 같은 서울 하늘 아래 있는 만큼 마음만 먹으면 다시 만날 수도 있겠다는 생각에 크게 섭섭하진 않았다. 그러나 사는 게 다들 바쁜 탓인지 우연이라도 다시 만나지 못했다.

시간이 흐르면서 나는 노동자의 삶에 관해 깊이 고민하게 됐다. 우리 사회가 더불어 잘사는 곳이 되기 위해서는 가장 아랫단에 있는 사람들의 처우부터 개선이 되어야 한다고 생각하게 됐다. 이후 각종 봉사단체와 사회활동 기업에서 일할 때는 비슷한 생각을 하는 사람들을 많이 만났다. 그들 중에는 생각이 무르익어 행동으로 옮기는 이들도 더러 있었다. 몇 년 후 나 역시 이들의 도움으로 현실 정치에 발을 들여놓게 되었다.

# 어려운 사람들을 돕는 일을 하고 싶었다

　얼마 전 국회 국토교통부 국정감사 관련 보도자료에서 '서울시 지하철 운수 수입금이 가장 높은 역'이 소개됐다. 강남, 잠실, 홍대 등 일자리가 많고 젊은 친구들이 자주 찾는 곳들이 앞 순위를 차지하고 있었다. 이어서 신림, 구로디지털단지, 삼성 순서였다.

　'구로디지털단지'역이 내심 반가웠다. 내게 구로디지털단지역은 구로공단 젊은 노동자들과의 추억이 담긴 장소이다. 당시 역 명칭은 '구로공단'이다. 1980년대 초 2호선이 개통될 때부터 2004년까지 구로공단역이었다. 그런데 시대의 변화를 반영해 2004년 지금의 구로디지털단지역으로 변경되었다고 한다. 인근의 1호선 가리봉역 역시 가산디지털단지역으로 변경되었다. 공업 중심 생산단지였던 공단이 IT를 중심으로 한 국가산업단지로 변모한 것이 이유였다. 가산디지털단지역에는 7호선까지 개통돼 강남까지 한 번에

갈 수 있다고 한다. 그야말로 상전벽해가 아닐 수 없다.

1980년대 구로공단역 근처에는 큰형님이 다니던 BYC 건물이 있었다. 지하철 2호선이 개통되기 전에는 1호선 가리봉역을 이용하기도 했다. 어디든 걸어서 20분 안팎이면 도착할 수 있는 곳이었다. 그곳에서 젊은 노동자들도 많이 만났다.

어릴 적 형님 친구들은 나와 형님을 번갈아 보며 "너희 집에 어떻게 저런 놈이 나왔냐?"라고 놀리곤 했다. 방학이면 동네 과수원과 밭을 넘나들며 서리하던 나와 달리 형과 누나들은 그야말로 모범생이었다. 부모님에게 큰소리 한번 들은 적이 없었다. 그에 비해 나는 '덜 찬' 자식이었다. 부모님은 별말씀 안 했지만 형님 친구들과 누님 친구들은 어지간히 나를 골려먹었다.

내가 서울에 올라올 때 형님은 이미 대학을 졸업하고 어엿한 사회인이었다. 형님은 중앙대학교 법학과를 졸업하고 고시 공부를 잠깐 하다가 사회생활을 시작했는데 백양에서 오래 근무했다. 백양은 1990년대 중반 우리에게 친근한 BYC라는 이름으로 사명을 변경하였다. 1980년대 중반 백양은 백양메리야스를 생산해 이름을 떨쳤다. 구로공단 내 생산 공장을 준공했는데 형님의 근무지가 그곳이었다. 하루는 형님이 간단한 일인데 좀 도와달라고 연락을 주었다. 나는 한달음에 형님이 있는 회사로 갔다.

"명절에 고향에 못 가는 젊은 노동자들이 많은데 그 친구들 데리고 민속촌에 좀 다녀와라."

형님은 천성이 성실하고 근면했다. 당연히 승진도 빨랐다. 당시 인사과장 같은 직책이 아니었나 싶다. 직원들의 생활을 꼼꼼히 살폈고 어려운 형편도 잘 알고 있었다. 명절에도 고향에 가지 못하는 직원들이 안쓰러워 굳이 나를 불렀던 것 같다. 고향에 못 가는 직원들이 야유회를 갈 수 있도록 배려했다. 당시로서는 인기가 높던 민속촌이 안성맞춤 소풍지가 되었다.

불시에 나는 젊은 노동자들을 데리고 야유회를 가는 업무를 맡게 됐다. 덕분에 나도 명절에 고향에 가지 못하게 되었다. 그래도 형님의 부탁이라 거절하지 못했다. 이후로도 몇 번이나 설날이나 추석에 야유회를 인솔해 가는 일을 하기도 했다.

예나 지금이나 민속촌은 남녀노소 가릴 것 없이 인기가 높은 곳이다. 1980년대에는 개장하고 얼마 지나지 않은 시점이라 소문만 무성했고 실제 갔다 온 사람은 많지 않았다. 당연히 직원들도 매우 좋아했는데 몇 번씩 가도 싫은 내색을 하는 이가 없었다.

나는 젊은 노동자 수십 명과 회사에서 전세 내준 버스를 탔다. 용인에 있는 한국 민속촌까지 1시간 넘게 걸렸던 것 같다. 민속촌에는 유독 한복 입은 사람들이 많았다. 나는 젊은 여성 노동자들에 둘러싸여 길을 안내하고 표를 나르는 일을 했다. 젊은 여성들이 대부분이다 보니 조심스러운 부분도 많았다. 안전은 특히 살폈다.

야유회는 꽤 즐거웠다. 다행히 몇 년 전 버스 차장을 만난 경험이 있어서 많은 인원을 인솔하고 다니는 데 어려움은 없었다. 직원들과도 금방 친해졌다. "과장님 동생 분이래."라는 이야기를 들은 직원들은 나를 편하게 대해주었다. 가끔은 사적인 것들을 묻기도 했다.

"대학 생활은 어때요? 여자 친구는 있어요? 졸업하면 뭐 할 거예요?"

짧은 질문에는 '부러움'이 묻어 있었다. 나는 "대학생도 별거 없어요."라며 그들이 궁금해하는 캠퍼스 생활, 수입 내용, 미팅 문화 등을 자세히 알려주었다. 집중해서 듣는 모습을 보고 있으니 마음 한편에 애잔한 감정이 일었다. 솔직히는 미안했다.

야학하던 때도 비슷한 마음이 들었다. 당시만 해도 나는 참 편한 생활을 하고 있었다. 좋은 부모를 만났기 때문이다. 물론 그 후 아버지가 갑자기 돌아가시면서 가세가 기울어 마냥 편할 수는 없었다. 얼마 지나지 않아 나 역시 사회생활을 시작해야 했고 독립된 성인으로 몫을 감당해야 했다. 하지만 당시는 편안한 시기였고 구로공단의 젊은 노동자들에게는 부러움의 대상이었다. 못내 미안했다.

이후 종종 명절이 아닐 때도 형님네 회사를 찾았다. 주로 토요일 늦게 사무실로 가서 젊은 노동자들과 시간을 보냈다. 팝송과 포크 댄스를 가르쳐주고 기타를 치며 레크리에이션도 진행했다. 당시 주요 공단의 노동자들이란 중학교를 막 졸업하고 올라온 16~17세 청소년부터 20대 후반까지의 여성이었다. 기숙사에서 생활하며 힘들게 직장생활을 하고 있었다. 그들과 기타 반주에 맞추어 노래를 부르고 춤을 추었다. "다음 토요일이 기대돼요."라는 말을 듣고 집으로 돌아올 때는 마음이 가벼워 날아갈 것만 같았다.

그리고 이런저런 일들을 겪으며 나 역시 사회로 나가야 할 시기가 다가왔다. 아버지가 돌아가시고 진로에 대해 진지하게 고민하기 시작했다. 막연하게 '남들에게 도움이 되는 일'을 하고 싶다는 생각을 하고 있었다. 당시는 산업화가 한창이었고 모두가 열심히 앞으로 달려가던 때다. 그런데 신기하게도 '나까지 그럴 필요는 없다.'라고 생각한 것이다. 가능하면 자신의 목소리를 내기 어려운 사람들을 돕거나 대변하는 일들을 하고 싶었다. 오래지 않아 내 마음에 맞는 기회가 찾아왔다. 홀트아동복지회로 첫 출근을 하게 된 것이다.

# 홀트의 '사랑을 행동으로!'를 깊이 새기다

대학을 졸업할 즈음 직장에 대한 고민이 깊었다. 당시만 해도 은행권이나 제조 대기업들이 주목받는 곳이었다. 친척 중에는 이왕이면 큰 회사에 가서 큰 꿈을 펼치라고 하는 분들이 더러 있었다. 그런데 나를 잘 안다고 생각했던 친척분은 다른 곳을 추천했다. 우리나라에서 사회사업 단체로서는 가장 유서가 깊은 홀트아동복지회였다. 친척분은 "평소 생각하던 것들을 사회에 나가서 실천해 보기에 가장 안성맞춤인 곳"이라며 홀트아동복지회에 원서를 쓰라고 권하였다. 나 역시 마음이 동해 원서를 쓰고 면접을 보러 갔다.

잘 알려져 있다시피 홀트아동복지회는 홀트 부부에 의해 설립된 사회사업 단체이다. 그 시작은 미국인 홀트 부부가 6·25전쟁 다큐멘터리를 보고 전쟁 통에 부모를 잃은 8명의 아이를 입양한 것이었다. 이후 홀트 부부의 이야기에 감동한 많은 미국인 가정이 입양

1985년 홀트아동복지회에서 주관한 문예 행사장에서.

을 결정하게 되는데 이는 홀트씨양자회 설립으로 이어지고 훗날 홀트아동복지회로 성장하게 된다. 홀트아동복지회는 6·25전쟁 이후 전쟁으로 고아가 된 아이들이 안정된 가정에서 성장할 수 있도록 입양 캠페인을 벌였다. 이후로도 지금까지 '사랑을 행동으로' 옮기는 실천을 강조하면서 미혼부모와 장애인 등 소외된 이웃을 지원하는 서비스를 펼치고 있다.

나는 20대 중반 면접시험에서 합격한 뒤 합정역 근처 홀트아동복지회 건물로 출근했다. 월요일에는 모두가 함께 예배를 드렸디. 기독교 정신이 살아 있는 곳에서 사회생활을 할 수 있어 매우 감사했다. 첫 배정 부서는 '상담부'로 불가피하게 친권을 포기해야 하는 부모들을 상담하고 필요한 것들을 지원하는 곳이었다.

상담부를 찾는 이들 중 상당수는 동네 산부인과 의사들이었다. 부모들로부터 "아이를 낳아도 키울 수 없습니다."라는 이야기를 들으면 직접 홀트아동복지회로 연락을 주었다. 홀트아동복지회에서는 갈 곳이 마땅치 않은 임신부들이 머물 수 있는 시설을 운영했고, 당장의 거처도 마련해 줄 수 있었다. 당시로서는 유일한 곳이었지 않았나 싶다. 연락이 오면 나는 부모들을 만나 상황을 인터뷰했고 필요한 도움이 무엇인지 의견을 청취했다. 가능하면 아이를 낳아 스스로 키울 것을 권면하는 것도 업무 중 하나였다.

요즘은 해외 입양에 대해 부정적인 평가가 많다. 하지만 개인적으로는 여러 가지 측면을 모두 보아야 한다고 생각한다. 당시 시대 상황에서는 어쩔 수 없는 부분이 있었다. 그럼에도 불구하고 안타까운 마음도 없진 않다. 개인적으로는 좀 더 세밀하게 신경을 썼더라면 더 좋았을 걸 하는 미안함도 없지 않다.

현실적으로 입양은 많은 사람에게 최후의 선택이다. 1980년대

홀트아동복지회 근무 당시 노르웨이 오슬로 공항에서.

우리 사회에는 육아 시스템이랄 것이 없었다. 젊은 여성들이 일할
곳이 많지 않았고 그나마 결혼하면 다니던 회사를 그만두었다. 그
것이 사회에 통용되었던 상식이다. 육아는 당연히 엄마와 가정의
몫이었다. 영아 돌봄 시설에 대한 수요도 있었겠으나 공급은 거의
없었다. 그런 상황에서 젊은 여성이 혼자 아이를 낳으면 생계를 이
어가기가 너무도 막막한 일이었다. 특히 부모에게조차 아이를 낳
았다고 말하지 못하는 상황이라면 어딘가에 아기를 맡기고 일을
해야 하는데 사실상 불가능했다. 그러다 보니 원하지 않는 임신일
때 친권을 포기하는 경우가 많았다.

입양 중에서도 해외 입양이 많을 수밖에 없었던 것은 우리 사회
분위기와도 관련이 있다. 지금은 다소 느슨해졌다고 해도 한국 사
회는 기본적으로 혈통 중심 사회이다. 핏줄이 중요한 만큼 입양에

홀드아동복지회 근무 당시 프랑크푸르트 중간 기착지에서 아기들과 잠깐의 휴식을 취하고 있다.

대한 거부감도 상당하다. 친권을 포기한 아이들을 맡아 키울 가정을 찾기란 매우 어려운 일이었다.

오래전이라 해도 이러한 분위기는 우리 사회만의 독특한 것이었다. 아이를 입양하는 다른 나라의 부모들을 만나면서, 나는 우리와 다른 그들의 문화에 적잖이 놀랐다.

홀트아동복지회에서 일을 하는 동안 1년에 여러 차례 비행기를 타고 미국과 유럽을 다녀왔던 것 같다. 한 번에 영아 2명을 전담했다. 갈 때는 거의 잠을 자지 못했다. 나는 아기에게 분유를 먹이고 기저귀를 갈고 잠을 재웠다. 승객이 많은 비행기에서 아기가 울면 큰일이라 아기를 안은 채 서서 잠을 자던 때도 있었다. 때때로 친절한 어머니들이 아기를 대신 안아주고 분유도 먹여주곤 했다. 그래도 두 아기를 한 번에 보는 것은 늘 힘에 부쳤다. 자칫 아기들이 가는 도중 아플 수도 있어서 늘 신경이 곤두섰다. 나는 비행기가 주유를 위해 경유지를 거쳐 목적지에 도착할 때면 거의 초주검이 됐다. 그런데도 공항 게이트에 나가면 바로 양부모들을 만나야 했으므로 정신을 바짝 차릴 수밖에 없었다.

게이트 앞에는 항상 양부모들이 먼저 나와서 대기하고 있었다. 빈손으로 나오는 이는 거의 없었다. 항상 감사 편지와 작은 선물을 받았다. 아기들을 안아 든 양부모들은 대부분 그 자리에서 눈물을 쏟았다. 그리고 내게 항상 "함께 기념 촬영을 하자."라고 제안했다. 아이가 컸을 때를 위해 사진을 남겨두기 위함이었다. 양부모와 아기가 공항을 빠져나가는 것을 보는 것까지가 나의 일이었다. 멀어지는 양부모와 아기를 볼 때는 늘 "원하는 가정에 입양된 만큼 행복한 일생을 살게 해주세요." 하고 빌었다. 기도를 마칠 즈음에는 긴장이 풀려 졸음이 쏟아졌다.

그러나 그때나 지금이나 때때로 미안한 마음이 일기도 한다. 아이들이 나의 기도만큼 행복한 삶을 살지 못했다고 하거나 한국의 부모가 그리워 왔으나 이렇다 할 기록이 없어 찾지 못했다는 소식을 들을 때다.

홀트아동복지회에서는 1982년부터 '홀트성년입양학생 모국방문' 행사를 진행하고 있다. 입양된 아동들은 원하면 한국에 와서 친부모를 찾아볼 수 있다. 그러나 여러 노력을 기울였음에도 친부모를 찾지 못한 안타까운 사연들이 종종 들린다. 요즘 같으면 DNA

검사로 찾을 수도 있으련만, 당시는 친부모들이 적어 놓은 신상이 전부였다. 사실과 다를 경우 부모를 찾는 것은 불가능에 가깝다. 요즘도 TV 프로그램에서 친부모를 찾는 입양아들을 볼 때면 '그때 조금만 더 세세하게 기록을 남겨두었더라면……' 하는 미안한 마음이 든다.

나는 홀트아동복지회에서 6~7년가량 일을 하면서 점점 생각이 많아졌다. 시작하고 한참 동안은 사회사업 분야에서 일한다는 것 자체만으로 느끼는 보람이 적지 않았다. 그러나 해가 갈수록 현장에서 할 수 있는 일에는 명확한 한계가 있다는 것을 절감해야 했다.

일례로 아이의 친권을 포기한 부모 중에는 '피치 못할 사정'이 있는 경우가 상당히 많았다. 경제적 문제만 해결된다면, 아이를 맡길 곳만 있다면, 일할 곳만 마련된다면 아이를 직접 키우고 싶다고 말했다. 그러나 사회사업 단체에서 그런 부분까지 도움을 주기는 현실적인 무리가 있었다. 그것은 사회 시스템과 인프라의 문제였다. 법과 제도가 뒷받침되어야 해결점을 찾을 수 있는 것이었다.

'조금 더 적극적으로 어려움을 해결할 방법은 없을까?'

관련 자료를 찾아보고 공부를 하면 할수록 복지와 관련된 정책을 만들어야 한다는 생각이 커졌다. 이후로 나는 마음이 맞는 이들을 만나면 관련 이야기를 꺼냈고 한 번은 마음이 맞는 선배를 만나기도 했다. 이야기를 들은 선배는 "그럼 너는 국회로 가야겠네."라고 흘리듯 이야기를 했다. 그리고 얼마 뒤 국회에서 일해보지 않겠느냐는 제안을 해왔다. 당시는 이름도 생소한 '입법비서관'이라는 자리를 제안했다. 이를 수락함으로써 나는 정들었던 홀트아동복지회를 떠나 국회로 가게 됐다. 그것이 나름대로는 정치 인생의 첫 시작점이었다.

나는 홀트아동복지회를 나오며 그곳에서 배운 것들을 늘 가슴에 새기자고 다짐했다. 가장 먼저는 '사랑을 행동으로!'라는 홀트아동복지회의 이념을 잊지 않기로 했다. 실제 살아 보니 겉만 번지르르한 말이나 공허한 인사치레는 전혀 도움이 되지 않았다. 변화는 행동에서 시작된다. 특히 사회의 변화는 많은 사람의 행동 없이는 불가능했다. 나부터 행동으로 세상을 변화시키는 이가 되어야겠다고 결심했다.

다음으로 '어렵고 힘든 사람들'이 항상 가까이에 있음을 잊지 않기로 했다. "배부른 주인은 종의 배고픔을 모른다."라는 말이 있다. 사실 우리 사회의 많은 사람이 그렇게 잊혀 왔다. 빠른 발전을 경험하다 보니 모두가 소득 상승의 열매를 누리고 사는 줄 안다. 그러나 찬찬히 그 속을 들여다보면 어렵고 힘든 사람들이 곳곳에 존재한다. 홀트아동복지회에서 만났던 얼굴들을 떠올리며 이들과 함께 살아가고 있음을 기억하자고 다짐했다.

이날의 기억들 덕분에 '인간의 무늬(人文)'를 그리는 일을 계속하며 살아갈 수 있었던 것이 아닌가, 스스로를 돌아볼 때마다 생각해 보는 대목이다.

# K-시티 용산의 미래를 만들어갑시다

**초판 1쇄 인쇄** 2022년 2월 3일
**초판 1쇄 발행** 2022년 2월 11일

**지은이** 노식래
**펴낸이** 안현주

**기획** 류재운 **편집** 최진 안선영 **마케팅** 안현영
**디자인** 표지 최승협 본문 장덕종

**펴낸 곳** 클라우드나인    **출판등록** 2013년 12월 12일(제2013-101호)
**주소** 우) 03993 서울시 마포구 월드컵북로 4길 82(동교동) 신흥빌딩 3층
**전화** 02-332-8939    **팩스** 02-6008-8938
**이메일** c9book@naver.com

**값** 20,000원
ISBN 979-11-91334-50-0 03320